Annick Marie & Christiane Roy-Camille

D1178519

LE MEILLEUR DE LA CUISINE ANTILLAISE

MANGO

SOMMAIRE

PRÉFACE

J'aurais bien envie de dire, paraphrasant Magritte : « Ceci n'est pas un livre de recettes ». Ce magnifique témoignage de Christiane Roy–Camille et Annick Marie va bien au-delà. Leur travail sur les racines et sur la mémoire permet de redécouvrir les Antilles que nous aimons tous, celles de la fidélité à la tradition.

Trop souvent, la cuisine martiniquaise et guadeloupéenne a été réduite à un « plus petit commun dénominateur » antillais. Quand on a eu la chance de savourer un trempage le samedi matin dans un lolo de Sainte–Marie, quand on a eu le privilège de participer à un « Chantons Noël » au François, quand on a pu saisir les différences de tempérament entre la douceur de la côte des Caraïbes et la rudesse de la façade atlantique battue par les vents, on comprend que la Martinique avec ses climats, ses mélanges, est unique et attachante.

Ce livre est une déclaration d'amour, un coup de cœur à partager pour tenter de recréer chez soi un peu de l'art de vivre des Antilles. Cet ouvrage de référence complète admirablement l'Inventaire du patrimoine culinaire de la Martinique que le Conseil National des Arts Culinaires a publié en décembre 1996 à la demande du Conseil régional et des services de l'État. Cet inventaire identifie avec la rigueur des monuments historiques de la datation, l'historique et le mode de fabrication des produits typiques régionaux de l'ensemble des régions françaises, de la Métropole et de l'Outremer. C'est le socle sur lequel se construit la politique de relance de ces produits.

Ces produits pour lesquels nous nous battons ne peuvent survivre que s'ils sont consommés localement dans des recettes savoureuses. D'où la nécessité d'un tel ouvrage qui nous explique par le menu comment préparer les ouassous et les z'habitants, les chadrons et les chatrous, les corossols et les chadecs.

Il est passionnant, en suivant nos guides si averties de se plonger dans le lexique, beaucoup plus ambitieux que son nom ne l'indiquerait puisqu'il nous présente avec précision les produits de base et les principaux tours de main. Les recettes proprement dites couvrent pour une fois l'ensemble de l'éventail gourmand en commençant par les soupes trop souvent oubliées et en terminant en beauté par les confiseries si particulières de la Martinique et de la Guadeloupe et naturellement par les cocktails de la grande famille des rhums.

Christiane Roy–Camille et Annick Marie ont visiblement pris beaucoup de plaisir dans leurs explorations gourmandes. Qu'elles soient rassurées : nous en aurons encore plus en cuisine à les suivre à la lettre ! Merci d'avance, au nom de l'ensemble des amoureux des Antilles.

Alexandre Lazareff
Directeur du Conseil National des Arts Culinaires

INTRODUCTION

Les Antilles françaises ont, de tout temps, inspiré nombre d'écrivains de renom. Si l'on devait tenter de trouver un point commun parmi ces auteurs, ce serait, sans nul doute, l'enthousiasme avec lequel ils ont décrit ces îles tropicales. C'est à qui vantera leurs paysages où se rejoignent l'eau, la terre et le ciel, la flore luxuriante, le charme de leurs habitants. Ainsi, le même chant d'amour se lit dans *Histoire générale des Antilles habitées par les Français* (1667–1671) écrit par le missionnaire dominicain Dutertre et dans *Nouveau voyage aux îles d'Amérique* (1722) du très célèbre Révérend Père Labat. Beaucoup plus proche de nous, comment ne pas citer les vers de Saint-John Perse et d'Aimé Césaire qui, mieux peut-être que quiconque, ont su évoquer admirablement des « îles plus vertes que le songe ».

Il est vrai que les Antilles françaises apparaissent, à certains égards, comme une vision paradisiaque. En 1931, l'écrivain Paul Reboux, connu à l'époque pour ses pastiches, publiait un ouvrage très bien documenté *Le Paradis des Antilles françaises…* en avouant lui-même dans son préambule n'être jamais allé ni à la Martinique, ni à la Guadeloupe ! La même année paraissait un livre de M. R de Noter (avec une préface de Paul Reboux), traitant de *La Bonne cuisine aux colonies* et qui comportait quatre cents recettes « exquises ou pittoresques », la cuisine créole y figurant en bonne place.

Dans tous ces ouvrages, anciens ou récents, la part réservée à la cuisine est toujours importante, car aux Antilles, plus qu'ailleurs sans doute, l'art culinaire est un véritable fait de civilisation. La cuisine créole traduit admirablement l'abondance des ressources naturelles de ces îles, le style de vie de leurs habitants et même la musique de leur langue. Ainsi chanter cette cuisine est peut-être la meilleure manière de l'apprécier.

Telle est l'ambition de ce livre qui se veut à la fois un guide pratique et un hommage à la culture antillaise. Les habitants de la Martinique et de la Guadeloupe devraient s'y reconnaître sans difficulté, tant nous avons cherché ici à traduire une tradition orale détenue par les restaurateurs locaux et par les « Das » dans quelques familles.

Nous aimerions aussi que ce modeste livre puisse servir de trait d'union aux Antillais, qui sont venus vivre en Métropole et qui ne retrouvent pas, dans nos brumes urbaines, les couleurs et les parfums de la Guadeloupe et de la Martinique.

Enfin, nous espérons qu'à travers un tel ouvrage, les touristes, qui, chaque année, viennent plus nombreux chercher dans les Antilles françaises le soleil et le dépaysement, s'intéressent davantage à la cuisine créole, et avec elle, à la véritable culture de ces îles.

Il restera ensuite au lecteur à laisser parler son imagination et ses talents culinaires, avec le souhait qu'un repas créole, précédé d'un punch parfumé, servi avec des « acras » de morue, suivis par un colombo de poulet ou un blaff de poissons, avec en apothéose une glace coco accompagnée d'un « shrubb », soit pour lui et ses invités le début d'un long mariage d'amour avec les Antilles françaises !

NOS REMERCIEMENTS À

Maurice Roy–Camille, qui incarne à lui seul le sens de la tradition,
la joie de vivre, la gentillesse et l'amitié qui caractérisent la Martinique.
Alexandre Lazareff qui nous a fait le plaisir de préfacer ce livre,
en nous laissant penser que le nôtre compléterait harmonieusement
celui dont il a promu la naissance, L'Inventaire du patrimoine
culinaire de la Martinique (Albin Michel, 1997).
Jacques Machurot, grand gastronome devant l'Éternel,
ami fidèle et joyeux, qui nous a encouragées de tout temps
dans notre entreprise.
Stéphane Ellivible, jeune chef enthousiaste et talentueux
par qui la cuisine martiniquaise est assurée de son avenir.

Christiane Roy–Camille et Annick Marie

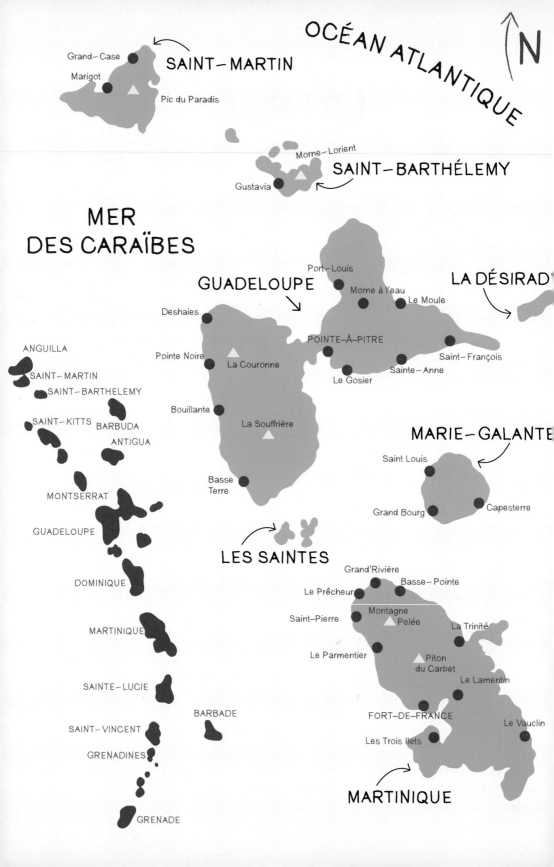

LEXIQUE

ABRICOT-PAYS

Fruit qui ne ressemble à l'abricot d'Europe que par la couleur de sa chair. Il se consomme surtout en jus, en sorbet ou en confiture.

ACRAS

Petits beignets (appelés aussi marinades) généralement aux poissons ou aux légumes.

ANANAS

Fruit qui pousse au ras du sol, au milieu de feuilles grasses et pointues ressemblant à son panache. L'ananas accompagne bien la viande de cochon et il est particulièrement apprécié en dessert ou en jus. On le coupe en rondelles ou de préférence en hauteur, car la base est plus sucrée.

ASSAISONNEMENT

Préparation dans laquelle on fait macérer un poisson ou une viande. Elle se compose obligatoirement de sel, de jus de citrons verts, d'ail et éventuellement de bois d'Inde en poudre, de piment, de poivre et d'oignon-France.

AVOCAT

Fruit de l'avocatier que l'on mange en entrée, en légume et parfois en dessert. Il peut accompagner presque tous les plats et atténue la brûlure du piment. À l'origine, aux Antilles, on ne connaissait que l'avocat à peau rouge, mince et fragile. Désormais, on cultive l'avocat à peau verte, plus épaisse, plus facilement exportable. Sur place, il est mûr quand on entend le bruit du noyau. Il est préférable de l'acheter un peu vert et de le laisser mûrir, enveloppé de feuilles de journal, pour le protéger d'un contact extérieur. On le coupe de différentes façons : en tranches horizontales ou verticales, par moitié, en cubes ou en noisettes.

BANANES

Aux Antilles, on distingue les « bananes-légumes » et les « bananes-dessert ».
Parmi les bananes à cuire, il y a : le *ti-nain* qui se fait cuire vert, débarrassé de sa peau ; la *banane jaune* que l'on fait cuire bien mûre, avec sa peau.
Parmi les bananes-dessert, on trouve : la *fressinnette*, petite, parfumée, à peau fine ; la *figue pomme*, moyenne, ventrue et acidulée ; la macanguia, de bonne taille, à la chair fine ; la *figue mûre* (le ti-nain à maturité) la plus courante et exportable.

BARBADINE

Fruit qui doit son nom à l'île de Barbade et que l'on déguste le plus souvent en confiture.

BÂTON LÉLÉ

Bâton à 3 ou 5 branches qui sert de fouet pour mélanger une préparation. On l'utilise surtout pour le migan (purée) de fruit à pain.

BÉLANGÈRE

Aubergine à peau rouge et marbrée.

BLAFF

Mode de cuisson pour les poissons ou les crustacés qui ressemble au court-bouillon métropolitain. C'est l'onomatopée du bruit du poisson plongé dans l'eau bouillante. L'eau du blaff, salée, poivrée, est aromatisée avec un bouquet garni, de l'oignon—France et du bois d'Inde en feuilles ou en graines.

BLANCHIR

Passer un aliment (légumes, abats, etc.) à l'eau bouillante plus ou moins longtemps.

BOIS D'INDE OU BAIES D'INDE

Épice utilisée en feuilles ou en graines pour parfumer les mets. Les feuilles s'emploient fraîches ou séchées. Les graines ne donneront leur saveur que concassées ou réduites en poudre dans un moulin à café. Pour les cuissons longues, les graines non concassées donneront le parfum nécessaire. On trouve aussi dans le commerce le bois d'Inde moulu appelé *piment Jamaïque* qui sera parfait pour les assaisonnements de poisson et de viande.

BOUQUET GARNI

Il sert à aromatiser certains plats. Il se compose, dans la cuisine créole, d'oignons-pays, ou cives, de persil à larges feuilles et de branche de thym. On frappe et on écrase légèrement le blanc des oignons—pays afin que le bouquet donne tout son parfum.

CACAHUÈTES

Produit de l'arachide appelé indûment *pistache* aux Antilles. On l'utilise écrasée, en beurre de cacahuète ou en confiserie.

CACAO

Graine du cacaoyer, arbre qui pousse aux Antilles. On en extrait le chocolat que l'on achète sous forme de pain appelé *bâton caco* dans les îles. On râpe ce bâton pour obtenir une poudre et l'utiliser en pâtisserie.

CALALOU

Soupe d'herbages et de légumes à base de gombos que l'on agrémente de cochon ou de crabes.

CALEBASSE

Fruit du calebassier, non comestible. Coupé, vidé de sa chair, il sert de récipient pour assaisonner le poisson. On l'appelle *coui*.

CARAMBOLE

Fruit antillais, à larges côtes.

CHADEC

Gros pamplemousse que l'on mange en fruit. Sa peau peut être confite.

CHADRON

Nom créole de l'oursin. On vend les œufs d'oursins sous forme de « tête chadron ». Les œufs de plusieurs oursins remplissent une belle coquille et sont grillés au feu de bois. On trouve aussi des œufs d'oursins frais, ou congelés au poids. Dans les Îles, l'oursin nature, fade, n'est pas apprécié, on le préfère accommodé en blaff ou en soufflé.

CHATROU

Poulpe aux Antilles.

CHAUDEAU

En Guadeloupe, nom donné à la préparation du chocolat confectionnée lors de la Première Communion.

CHIFFONNADE

Feuilles de légumes coupées en fines lamelles ou en bâtonnets.

CHIQUETAILLE DE MORUE

Morue grillée et « déchiquetée » (effeuillée sans la peau ni les arêtes) que l'on met en vinaigrette pour accompagner certains plats comme le calalou ou le migan.

CHOU

Aux Antilles, à côté du *chou blanc* ou du *chou pommé*, les choux sont des racines alimentaires qui se consomment généralement cuites à l'eau salée. On trouve, entre autres, le *chou Dachine* ou ma-dère, le *chou dur*, le *chou mol*, le *malanga (chou dur jaune)*...

CHOU COCO

Le chou coco, cœur du cocotier, se trouve au centre du tronc, au sommet de l'arbre, là où les palmes viennent s'accrocher. Il est constitué des feuilles en formation. Il n'y en a qu'un par cocotier et l'arbre doit être abattu pour le prélever ; cette opération se fait quand les cocotiers poussent de façon trop dense. Le chou coco est donc un mets très recherché. Les feuilles naissantes, effilées, sont consommées crues avec une vinaigrette. L'autre partie, la hampe ou nervure centrale, est dégustée cuite ou crue.

CIRIQUE

Étrille, sorte de petit crabe de mer.

CISELER

Faire des incisions à l'aide d'un couteau fin sur un aliment pour en faciliter la cuisson ou pour faire pénétrer un assaisonnement.

CITRON VERT

Citron utilisé aux Antilles. Il est petit, parfumé ; sa peau est verte et ne jaunit que lorsqu'il est trop mûr. Il est à la base de nombreux plats et de tous les assaisonnements. On le coupe en palettes, autour du centre pour y laisser les pépins, ou en moitié, pour le presser. Avant de le couper, on le roule avec la paume de la main afin que le jus rende bien.

COCO

Fruit tropical que l'on coupe pour recueillir l'eau de coco. Suivant sa maturité, la noix renferme une crème molle, ou une substance dure (lorsqu'il s'agit d'un coco sec). Le lait de coco s'obtient en râpant le coco sec et en le pressant à travers un linge ou en le passant à la centrifugeuse.

COLOMBO

Mélange à quantité égales de graines de coriandre, cumin, poivre noir, moutarde, curcuma, gingembre, safran et piment. Certains plats portent le nom de cette épice comme le colombo de poulet, de mouton, ou de porc. On peut faire le mélange soi-même ou utiliser le curry pour remplacer le colombo. Sur les marchés antillais, on trouve également de la pâte à colombo fraîche, préparée de façon artisanale. Une fois en Métropole, on peut la congeler en petite quantité et s'en servir pour chaque colombo.

COROSSOL

Fruit des Antilles à la peau verte et piquante, à la chair blanche légèrement cotonneuse et fondante, parfaite pour l'utilisation en jus, sorbets ou glaces.

COURT-BOUILLON

Il est différent du court-bouillon que l'on prépare généralement en Métropole. C'est une façon de faire cuire certains poissons (rouges de préférence), avec des tomates, des oignons, et éventuellement du piment. On a coutume de servir le poisson baignant dans l'eau du court-bouillon.

COUSCOUCHE

Racine alimentaire à la texture et à la saveur fines, utilisée en légume, cuite à l'eau ou en purée.

CRABE DE TERRE

C'est une des spécialités antillaises. On attrape les crabes de terre dans les basses terres inondables. Avant de les consommer, on enferme habituellement les crabes dans une cage grillagée appelée « caloche », et on les nourrit pendant une dizaine de jours de graines de maïs, de mangues, de piment, de feuilles de fruit à pain séchées, pour les engraisser et les débarrasser des mauvaises nourritures prises dans les marécages. On les fait farcis suivant une préparation bien spéciale, ou en matoutou, sorte de fricassée cuite avec du riz.

CREVER

Aux Antilles, certains légumes sont consommés très cuits : la peau doit éclater. On fait « crever » des haricots secs ou du riz.

CRIBICHE

Généralement, on appelle cribiche ou une crevette aux Antilles.

CRISTOPHINE

Légume des Antilles que l'on mange cru ou cuit, appelé aussi *chayotte*.

CURRY

Épice d'origine indienne utilisée pour certaines sauces.

DAÏQUIRI

Cocktail à base de rhum blanc qui se sert sous différentes formes.

ÉCREVISSE

Crustacé d'eau douce, appelé suivant sa taille et la région, *cribiche*, *Z'habitant* (la plus grosse) ou *ouassou* (en Guadeloupe).

ÉPICE

Substance aromatique pour l'assaison- nement des mets. Aux Antilles, on em- ploie surtout la muscade, le bois d'Inde, le clou de girofle et le piment.

ÉPINARD

Légume vert dont on consomme les feuilles. Il est différent de l'épinard mé- tropolitain, ses feuilles sont plus petites, et on les déguste en entrée avec une vinaigrette.

ESSENCE

Liquide aromatique, concentré, qui par- fume certains desserts. On trouve de l'essence de vanille, de banane, de noyaux (amandes amères), et on l'em- ploie en petite quantité.

FARINE DE MANIOC

Racine de manioc séchée et râpée que l'on ajoute à certains mets pour les épaissir comme le féroce d'avocat. Se consomme beaucoup en Guyane.

FÉROCE

Préparation à base d'avocat, de morue, de farine de manioc à laquelle on ajoute du pi- ment, d'où le nom de « féroce » !

FEUILLES DE CHOU CARAÏBE

Appelées aussi herbages, elles servent à la confection du calalou et ne ressem- blent en rien au chou traditionnel.

FIGUE

Nom donné à une variété de banane de petite taille, comme la *figue-pomme*.

FRUIT à PAIN

Fruit de l'arbre à pain, de la taille d'un gros melon, à la peau granuleuse. Se consomme à peine mûr (fruit à pain « bléblé ») ou très mûr pour le migan. Pour le faire cuire à l'eau salée, on retire le cœur et l'on se sert de la peau comme couvercle. Un arbre à pain pousse généralement auprès de chaque maison.

GIRAUMON

Nom du potiron aux Antilles. On le prépare en purée ou en soupe la plupart du temps. On peut également le mélanger à d'autres légumes.

GOMBO

Petit légume vert, pointu et allongé, appelé dans certains pays « lady's finger ». S'utilise en hors−d'œuvre ou sert de bas au calalou.

GOYAVE

Fruit tropical à peau épaisse et garni de pépins. Se mange nature, en confiture, en gelée, en marmelade, en glace ou sorbet, en confiserie (pâte de goyave) et surtout en jus pour servir de base, avec le rhum, au planteur.

GRAGER

Râper, en créole. La râpe s'appelle la *grage*. On grage du coco sec.

GRAINE

Nom créole pour désigner les pépins ou les noyaux.

HARICOTS

Sont appelés pois en créole. On trouve : des *pois rouges* ; des *pois d'Angole* (qui se consomment frais au moment de Noël, s'écossent comme des petits pois et se sucrent) ; des *pois Z'yeux noirs*… Les haricots verts sont des *pois tendres*.

HERBAGES

Feuilles du chou caraïbe qui se vendent en paquet (une quinzaine de feuilles) pour la confection du calalou.

IGNAME

Tubercule alimentaire, aux nombreuses variétés, que l'on déguste nature, en purée et en frites. On trouve l'igname *blanche* (la plus appréciée), l'igname *portugaise*, l'igname originaire de *Saint−Vincent*, de *Dominique*, l'igname *Sassa*, l'igname *serpent*, l'igname *poule* et l'igname *gui*.

LAMBI

Gros coquillage des Antilles dont l'intérieur est rose et nacré. Pour déguster le lambi, vous devrez vous résigner à casser la conque dans sa partie inférieure afin d'en extraire la chair.

LETCHI OU LITCHI

Fruit originaire de Chine, sucré et juteux, qui pousse également aux Antilles. Il est rare car l'arbre ne porte des fruits que tous les sept ans.

LIME

Nom donné à certains gros citrons à la peau granuleuse, qui servent à assaisonner le poisson ou à faire des jus.

MALANGA

Nom donné à un chou dur de couleur jaune. C'est une racine alimentaire.

MANDARINE

Elle pousse aux Antilles. Sa peau peut rester verte, même à maturité. On utilise également le zeste pour confectionner la liqueur de Shrubb.

MANGUE

Fruit abondant aux Antilles, aux variétés très nombreuses comme les mangues *julie,amélie*, *zéphirine*, *moussache* ; les *mangotsbassignac* ; les *mangotines*. Chaque variété peut être épluchée de façon appropriée, soit en coupant les joues du fruit avec la peau et en taillant la chair en carrés pour la déguster (la mangue est alors épluchée « en fleur »), soit en la pelant de la « tête aux pieds » pour éviter les filaments. La mangue, verte, se préparer assaisonnée en souskaï pour l'apéritif.

MANICOU

Petit animal dont la femelle possède une poche sur le ventre pour porter ses petits. Se nourrit de fruits, comme le corossol et la mangue.

MARACUDJA

Fruit porté par une liane parasite qui s'accroche à un arbre support. Il a une peau épaisse et est rempli de graines. On le déguste en jus et en sorbet. Connu aussi sous le nom de *fruit de la passion*.

MARINADE

Nom donné aux acras. Ce que l'on appelle marinade en Métropole, porte le nom d'assaisonnement aux Antilles.

MASSICIS

Petit légume vert de la famille des concombres. Sa peau présente des aspérités que l'on gratte au couteau, avant de le couper en quatre dans le sens de la longueur et de le presser pour en retirer les pépins.

MIGAN

Purée dans laquelle on trouve quelques morceaux non écrasés, comme le migan de fruit à pain.

MORUE

Elle est très utilisée dans la cuisine antillaise, séchée et salée. On la fait dessaler quelques heures, suivant son goût, mais pas trop. En métropole, on peut également se servir des filets de morue.

MOUILLER

Couvrir une préparation d'un liquide, eau ou bouillon.

OIGNON-FRANCE

Gros oignon importé d'Europe, par opposition à l'oignon-pays. Un oignon, débarrassé de sa première peau et noirci à la flamme, parfume et colore certains bouillons antillais : c'est l'oignon brûlé.

OIGNON-PAYS OU CIVE

Oignon local, très utilisé en cuisine, la partie blanche comme la verte. Il ressemble à la ciboule, un peu au poireau et à l'échalote nouvelle.

OS

Désigne les arêtes de poisson autant que les os.

OUASSOU

Nom donné aux écrevisses en Guadeloupe.

OURSIN

Il est appelé *chadron*. Seul le gros oursin blanc aux épines courtes est comestible. L'oursin noir aux longs piquants (pouvant atteindre 10 cm) ne se mange pas et peut provoquer de douloureuses piqûres.

PAPAYE

Gros fruit tropical à la chair orangée et garnie de *graines*. Avant de la couper, on « saigne » la papaye, avec la pointe d'un couteau, pour en faire sortir le lait afin qu'elle soit moins amère. On peut également la manger verte, en légumes, sous forme de gratin ou de soufflé.

PATATE DOUCE

Tubercule comestible à la peau rouge ou grise que l'on mange en légume, ou qui sert pour la préparation de desserts.

PERSIL

Le persil local possède de longues branches à larges feuilles.

PIMENT

Épice dont il existe plusieurs variétés : piment *cooli*, *café*, *oiseau*, *grenu* (le plus courant), piment *7 courts-bouillons* (on imagine son agressivité puisqu'il peut parfumer 7 courts-bouillons différents !), piment *bonda man Jacques* appelé aussi *le derrière de Madame Jacques*, gros piment rouge foncé et joufflu.

Le piment doit être employé avec précaution et modération pour les *non* initiés. Pour certains plats, il ne doit pas éclater quand il cuit entier. S'il est coupé en morceaux, ceux-ci doivent être très fins. À la façon créole, on pimentera largement. Mais en règle générale, il vaut mieux servir à part citron vert et piment, afin que chaque convive puisse rectifier l'assaisonnement à son goût. Si l'on veut atténuer l'agressivité d'un plat trop pimenté, il est recommandé de manger un peu de banane, d'avocat, de mie de pain, et de boire du vin et non de l'eau glacée. On trouve aussi désormais des piments doux, de forme oblongue, qui donneront le parfum sans l'agressivité.

PISQUETTE

Minuscule poisson de mer (3 à 4 cm), que l'on prépare en touffée ou en acras.

PISTACHE

Nom créole pour la cacahuète. Une spécialité : le nougat pistache.

PLANTEUR

Cocktail à base de rhum, de jus de fruit (dont la goyave), de muscade et de cannelle.

POISSONS

Nombreux et variés, on distingue :
• Les poissons rouges, leur peau est rouge et ce sont les plus appréciés. Il existe :
— le *capitaine*, à la chair blanche et ferme, à la tête imposante, le meilleur de tous ;
— le *grand-Z'yeux*, qui doit son nom à la taille de son œil ;
— le *vivaneau*, plus ou moins gros ;
— la *vermeil* qui peut atteindre une belle dimension ;
— le *juif*, aux petits écailles et dont les filets se détachent particulièrement bien ;
— les *sardes* (sarde dents de chien, aux dents longues, sarde à queue jaune, savoureuse, etc.) ;
— la *sorbe*, souvent maigre en période sèche, mais plus charnue après les pluies ;
— le *marignan*, les patates, le couronné, le roiliroi, le roitalibi, utilisés pour la soupe ou en friture lorsqu'ils sont de petites tailles.
• Les poissons blancs. On trouve :
— la *carangue*, malgré sa peau blanche, est souvent classée parmi les poissons nobles ou rouges. On peut manger la carangue *noire*, la carangue *hot boy*, qui reste recherchée ;
— le *barracuda*, poisson vorace à la chair dense mais fine, meilleur quand il est de petite taille ;
— le *tazard*, poisson long et fin ;
— la *bonite*, variété de petit thon ;
— le *thon* ;
— le *mulet* ;

– le grand *écaille*, dont on peut utiliser les écailles dans l'artisanat.

Parmi les poissons de petites tailles, on trouve les *baralous*, les *coulirous*, les *maquereaux*, les *macrios*.

D'autres poissons, rouges ou blancs, se pêchent également dans la mer des Antilles : la *souris* et le *barbarin* (proches du rouget, que l'on évitera de cuire avec d'autres poissons car ils ont un goût très prononcé) ; la *pague* ; la *bourse* ; le *poisson-coffre* à la carapace dure et triangulaire (dont on consomme les filets) ; le *poisson armé* aux longues épines (appelé aussi *poisson-lune* ou *soleil* selon les pays) ; la *daurade* différente de celle des côtes françaises (elle peut atteindre 2,50 m !) ; la *raie* difficile à pêcher…

La tête entière du poisson est très appréciée des connaisseurs qui n'en laisseront que quelques os.

POMMES

Beaucoup de fruits sont appelés pommes. La peau de la *pomme cannelle* est constituée d'écailles, sa chair est blanche et savoureuse, ses pépins sont nombreux. La *pomme calebasse* est la *maracudja* (appelée aussi fruit de la passion). On mange la chair de la *pomme cajou*, mais aussi la noix accrochée au fruit. La *pomme d'eau* a une peau rouge et une chair blanche, elle est rafraîchissante car elle est gorgée d'eau.

POURPIER

Plante à feuilles charnues. Utilisée en infusion et dans la soupe Z'habitants.

PRUNE DE CYTHÈRE

Fruit que l'on déguste, vert, en sous-kaï à l'apéritif, ou mûr en fruit, en jus ou en confiture. Son noyau ressemble à un oursin.

REVENIR-ROUSSIR

Faire prendre couleur à un aliment, dans une matière grasse, et obtenir son rissolement.

RHUM

De la canne à sucre, on tire le sucre et le rhum. Le *rhum agricole* vient du jus de la canne. Le rhum blanc agricole est le meilleur pour la préparation du punch. Le *rhum industriel* est fait à partir des résidus de la canne débarrassée de son jus. Le *rhum vieux* est obtenu en faisant vieillir le rhum blanc en fûts de chêne, alors que le rhum blanc est conservé dans des « foudres » (fûts) vitrifiés. Un bon rhum vieux peut être un digestif très apprécié.

SAPOTILLE

Fruit antillais à peau lisse et fine et à la chair sucrée.

SHRUBB

Liqueur à base de zestes de mandarine, macérés dans du rhum.

SIROP DE SUCRE

On l'obtient en faisant fondre et cuire du sucre de canne avec 5 fois son volume d'eau, jusqu'à ce qu'il commence à prendre légèrement consistance. Le sirop de sucre est utilisé aux Antilles, pour les jus, le punch et les pâtisseries.

SIROP DE BATTERIE

Sous-produit de la fabrication du sucre, de couleur brune, utilisé pour la confiserie.

SOUSKAÏ

Moyen de préparer certains fruits verts (mangue, prune de cythère) en les faisant macérer avec du sel, de l'ail et du citron vert.

SUCRE

On n'emploie dans les Îles que du sucre de canne légèrement raffiné. Il n'est pas complètement blanc et se présente sous forme de cristaux.

TAMARIN

Fruit aux vertus laxatives dont on mâche la pulpe peu abondante, accrochée à un noyau important.

THYM

Aromate à grosses feuilles (gros thym) ou petites feuilles (dit « ti-thym). il est différent de celui que l'on trouve en Métropole.

TI-CONCOMBRE

« Ti » : petit en créole. Le concombre est plus ventru, plus court et a la peau plus jaune que celui de la Métropole.

TI-NAIN

Variété de banane qui se consomme en légume, verte et cuite, aux Antilles ; mûre et en fruit, dans d'autres pays.

TITIRI

Minuscule poisson de mer qui vient se ravitailler à l'embouchure des rivières. On est obligé de le pêcher à la moustiquaire. Il est servi en acras ou en touffée.

TOTOTE

Se trouve sur l'arbre à pain, de forme allongée. Se prépare en beignets.

TOUFFÉE

Se dit pour une cuisson à l'étouffée.

VANILLE

Fruit du vanillier, employé comme parfum pour les pâtisseries sous forme d'essence, de gousse ou de poudre. La vanille est d'excellente qualité aux Antilles. On en trouve plus particulièrement en Guadeloupe.

VANILLON

Grosse gousse de vanille très parfumée que l'on emploie pour faire de l'essence de vanille et pour la pâtisserie.

Z'HABITANT

Grosse écrevisse. Ne pas confondre avec la soupe Z'habitants) faite de légumes et d'herbages.

Z'YEUX NOIRS

Variété de pois (haricot ou pois dont le germe noir a la forme d'un œil).

SOUPES

SOUPE À L'AVOCAT

Pour 4 personnes
Préparation : 15 minutes
Cuisson : 25 minutes

3 avocats * 1 gousse d'ail *
1 litre de bouillon
de pot−au−feu (cube) *
4 cuillerées à soupe
de crème fraîche * 4 croûtons
frits au beurre * sel * poivre

Épluchez les avocats. Réduisez−en 2 en purée au mixer ou au tamis. Salez et poivrez. Ajoutez l'ail pilé.
Faites chauffer cette préparation au bain-marie et mouillez avec 1 litre de bouillon de pot−au−feu. Remuez à l'aide d'une cuillère en bois jusqu'à ébullition.
Ajoutez la crème fraîche et laissez mijoter sans bouillir 5 à 10 minutes.
Garnissez la soupe de l'avocat restant coupé en dés, éventuellement de quelques croûtons frits au beurre. Servez tiède ou froid selon votre goût.

SOUPE À L'IGNAME

Pour 4 personnes
Préparation : 20 minutes
Cuisson : 35 minutes

1,5 kg d'ignames * 4 poireaux *
1 petit verre de lait *
30 g de beurre * 4 croûtons frits
au beurre * sel * poivre

Épluchez les ignames : enlevez la peau épaisse et les parties qui ne sont pas blanches à l'aide d'un couteau bien aiguisé. Coupez-les en morceaux et faites−les bouillir dans l'eau salée avec les poireaux. Lorsque les légumes sont cuits, passez−les au moulin à légumes ou au mixer.
Ajoutez un peu d'eau de cuisson, le lait et laissez cuire 10 minutes. Servez la soupe chaude, accompagnée de croûtons revenus au beurre, après avoir rectifié l'assaisonnement selon votre goût.

SOUPE DE GIRAUMON

Pour 4 personnes
Préparation : 15 minutes
Cuisson : 25 à 30 minutes

1 belle tranche de giraumon
(potiron) * 1 oignon – France *
1 gousse d'ail * persil *
250 ml de lait * noix de muscade
râpée * 1 verre de riz *
30 g de beurre * sel * poivre

Épluchez les avocats. Réduisez-en 2 en purée au mixer ou au tamis. Salez et poivrez. Ajoutez l'ail pilé.
Faites chauffer cette préparation au bain-marie et mouillez avec 1 litre de bouillon de pot-au-feu. Remuez à l'aide d'une cuillère en bois jusqu'à ébullition.
Ajoutez la crème fraîche et laissez mijoter sans bouillir 5 à 10 minutes.
Garnissez la soupe de l'avocat restant coupé en dés, éventuellement de quelques croûtons frits au beurre. Servez tiède ou froid selon votre goût.

SOUPE DE FRUIT À PAIN

Pour 4 personnes
Préparation : 15 minutes
Cuisson : 25 minutes

½ fruit à pain *
2 oignons – France *
2 gousses d'ail * 2 cuillerées
à soupe de crème fraîche *
lardons ou croûtons frottés à l'ail *
sel * poivre

Enlevez la peau épaisse et le cœur du fruit à pain. Coupez-le en morceaux et faites-le cuire dans de l'eau avec les oignons, l'ail, le sel et le poivre.
Lorsque la soupe est cuite, passez-la au moulin à légumes ou au mixer. Ajoutez un peu d'eau de cuisson, le lait et remettez sur le feu quelques minutes en incorporant la crème fraîche au dernier moment.
Servez soit avec des croûtons frottés à l'ail soit avec des lardons revenus.

SOUPE À CONGO

Pour 4 personnes
Préparation : 15 minutes
Cuisson : 2 heures

400 g d'ignames blanches *
400 g de malanga ou de chou dur *
1 poireau * 2 carottes *
150 g de giraumon (potiron) *
150 g de concombres ou de
massicis (petits concombres) *
2 feuilles d'oseille * 1 aubergine
ou bélangère * 200 g de haricots
verts (pois tendres) *
400 g de pois mélangés
(pois d'Angole, pois savon, pois
boucous) * 2 gousses d'ail *
1 oignon-France * piment *
1 clou de girofle *
200 g de lard coupé en dés *
2 litres d'eau * sel * poivre

Épluchez tous les légumes. Coupez-les en petits morceaux et plongez-les dans l'eau bouillante salée et poivrée avec les épices et le lard coupé en dés. Couvrez et laissez mijoter pendant 2 heures. Cette soupe doit avoir une consistance assez épaisse.
Cette recette est originaire du Congo.

SOUPE Z'HABITANTS

Pour 4 personnes
Préparation : 40 minutes
Cuisson : 1 heure à 1 h 30

3 carottes * 1 poireau *
1 morceau de giraumon
(potiron) * 250 g d'épinards *
quelques feuilles de chou *
quelques feuilles de pourpier *
1 branche de céleri * 1 poignée
de haricots verts (facultatif) *
3 cuillerées à soupe d'huile *
1 bouquet garni (oignons-pays,
thym, persil à larges feuilles) *
1 oignon-France * 2 feuilles
de bois d'Inde * 1 litre d'eau *
400 g de cochon salé ou
de bœuf salé * 1 piment *
1 gousse d'ail * sel * poivre

Épluchez les légumes. Faites-les revenir dans de l'huile avec le bouquet garni et les épices (sans le piment) pour leur faire rendre un peu de leur eau. Remuez bien pour que les légumes n'attachent pas au fond du faitout puis mouillez avec 1 litre d'eau. Laissez cuire à feu modéré 1 heure environ.
Entre-temps, faites cuire à gros bouillons le cochon ou le bœuf salé. Passez la soupe grossièrement lorsqu'elle est cuite et ajoutez le cochon ou le bœuf coupé en dés, 1 cuillerée à soupe d'huile, le piment non éclaté et laissez mijoter quelques instants à découvert. Au moment de servir, ajoutez l'ail pilé.

ASTUCE : lorsque l'on fait cuire le piment dans une soupe, on prend soin de ne pas le faire éclater. On ne le coupe qu'au moment de servir.

SOUPE DE POISSONS
1ᴱᴿᴱ RECETTE

Pour 4 à 6 personnes
Préparation : 1 heure / Cuisson : 45 minutes
Marinade (assaisonnement) : 2 heures

1 kg de poissons variés, rouges
de préférence (couronnets, petites
sardes, etc.) * 2 crabes *
3 ciriques ou étrilles * 3 feuilles
de bois d'Inde ou 5 graines
écrasées * 2 gousses d'ail *
6 citrons verts * 1 bol d'eau *
1 bouquet garni (5 cives ou
oignons—pays, thym, persil) *
sel * poivre

Légumes
3 carottes * 1 navet * 1 poireau *
1 morceau de giraumon *
1 branche de céleri *
4 à 6 croûtons

Écaillez, videz et faites mariner les poissons avec les ingrédients suivants : sel, poivre, bois d'Inde, ail pilé, jus de citrons verts et un petit bol d'eau. Frottez l'intérieur des poissons avec la peau des citrons verts. Laissez macérer 2 heures environ.
Faites bouillir les poissons, les crabes et les ciriques dans 2 litres d'eau avec le bouquet garni, le sel, le poivre et le bois d'Inde pendant 15 minutes. On appelle cette façon de faire mariner et cuire le poisson le « blaff ».
Détachez les morceaux de poissons et réservez-les. Filtrez le blaff et faites cuire les légumes dans ce bouillon, pendant 30 minutes. Retirez le céleri et passez les légumes à la moulinette ainsi que les têtes de poissons. Servez la soupe bouillante sur les morceaux de poissons et les crabes que l'on aura tenus au chaud. Ajoutez les croûtons frits.

ASTUCE : selon votre goût, vous pouvez ajouter un piment à la marinade.

SOUPE DE POISSONS
2ᴱᴹᴱ RECETTE

Pour 4 personnes
Préparation : 50 minutes / Cuisson : 1 heure
Marinade (assaisonnement) : 1 à 2 heures

1 kg de poissons variés *
4 citrons verts * 1 gousse d'ail *
bois d'Inde (2 feuilles ou
4 graines écrasées) *
1 bouquet garni
(4 oignons—pays, thym, persil) *
1 gros oignon—France *
2 tomates * 3 cuillerées d'huile *
1,5 litre d'eau * 4 pommes
de terre * 2 carottes *
1 poireau * 1 morceau
de giraumon * 100 g de gruyère
râpé * sel * poivre

Faites mariner les poissons dans le jus des citrons verts avec du sel, du poivre, l'ail écrasé, le bois d'Inde, le bouquet garni et un verre d'eau pendant 1 à 2 heures.
Faites revenir l'oignon et les tomates dans l'huile et mettez les poissons. Remuez à l'aide d'une cuillère en bois jusqu'à ce qu'ils se défassent. Mouillez avec 1,5 litre d'eau et ajoutez les légumes épluchés. Laissez cuire 45 minutes. Passez le tout à la moulinette y compris les poissons et leurs arêtes (2 fois si nécessaire), et servez la soupe bien chaude avec du gruyère râpé.

ASTUCE : vous pouvez ajouter un piment dans la marinade si vous le souhaitez.

SOUPE AUX OUASSOUS

Pour 4 personnes
Préparation : 30 minutes
Cuisson : 40 minutes

En Guadeloupe, les ouassous sont les écrevisses.

750 g de ouassous
ou de cribiches (écrevisses) *
50 g de beurre *
2 oignons—France *
1 piment * 1,5 litre d'eau *
1 cuillerée à soupe de fécule *
2 cuillerées * poivre

Lavez et nettoyez les ouassous (châtrez-les si elles sont grosses).
Faites revenir dans du beurre les oignons hachés, un peu de piment et les ouassous. Lorsque le tout est coloré, mouillez avec l'eau. Salez et poivrez. Couvrez et laissez cuire à petits bouillons pendant 30 minutes. Réservez quelques queues décortiquées et pilez le reste au mortier, puis passez au tamis. Remettez dans l'eau de cuisson cette préparation en ajoutant le fécule pour lier et laissez mijoter 10 minutes. Servez la soupe avec les queues décortiquées, la crème fraîche ou quelques noisettes de beurre.

SOUPE DE VIANDE OU POT-AU-FEU CRÉOLE

Pour 4 à 6 personnes
Préparation : 25 minutes
Cuisson : 3 heures

750 g de rondelles de bœuf
avec le cordon gélatineux *
1 ou 2 os à moelle * 3 litres
d'eau * 1 oignon—France
piqué de 2 clous de girofle *
¼ de chou * 4 carottes *
2 navets * 2 branches
de céleri * 2 poireaux *
4 pommes de terre * sel *
poivre

Sauce vinaigrette
1 cuillerée à soupe de vinaigre *
3 cuillerées
à soupe d'huile *
1 gousse d'ail écrasée *
2 échalotes hachées *
1 oignon—France et
2 oignons—pays émincés *
piment * sel * poivre

Mettez la viande et les os dans 3 litres d'eau froide et faites-les bouillir pendant 2 heures. Écumez au début de la cuisson. Salez et poivrez. Ajoutez les 2 oignons dont un aura été roussi à la flamme pour colorer le bouillon. Incorporez 20 minutes avant la fin de la cuisson, le chou, les carottes, les navets, le céleri, les poireaux et les pommes de terre. Laissez mijoter 1 heure. Servez le bouillon séparément, puis la viande et les légumes accompagnés de la sauce vinaigrette. Vous pouvez ajouter un filet de vinaigre de piment—confit (voir recette p. 27).
Pour les restes du pot—au—feu : faites revenir 1 tomate et 1 oignon—France émincé. Mouillez avec un peu de bouillon. Ajoutez le reste de viande et de légumes coupés en dés et un hachis de persil.

PÂTÉ EN POT
ET PIMENT-CONFIT

Le pâté en pot est un plat typique des Antilles. Il a l'aspect d'une soupe très riche et se mange à l'occasion de fêtes.

Pour 8 personnes
Préparation : 1 heure
Cuisson : 3 heures

1 tête de mouton (sans la cervelle), le foie,
la panse, les tripes et les pattes de mouton.
À défaut, on remplace ces abats par 1 pied
de veau, des tripes, du foie de génisse,
1 morceau de poitrine de mouton * 2 litres d'eau *
3 clous de girofle * 2 feuilles de laurier * 2 citrons
verts * 500 g de carottes * 500 g de giraumon
(potiron) * ½ chou * 4 navets * 4 poireaux *
2 branches de céleri * 4 pommes de terre *
2 oignons—France * 3 cuillerées à soupe d'huile *
2 verres de vin blanc * 1 gousse d'ail * sel * poivre

Faites cuire dans 2 litres d'eau le pied, les tripes si elles sont grosses, les morceaux de viande et le foie après les avoir citronnés avec les clous de girofle et le laurier. Ne salez que lorsque la cuisson commence afin d'éviter le durcissement de la viande. Coupez les légumes en petits carrés (sauf le céleri) et les oignons en fines lamelles. Faites—les revenir dans de l'huile. Terminez par les pommes de terre et le giraumon qui collent plus facilement. Remuez à l'aide d'une cuillère en bois et incorporez peu à peu l'eau de cuisson de la viande après avoir écumé, puis toutes les viandes coupées en dés de 1 cm de côté environ.
Laissez mijoter les viandes et les légumes pendant 2 heures, en ajoutant le céleri et le poivre. Salez. Au moment de servir, incorporez le vin blanc, l'ail pilé et accompagnez le plat de câpres et de « piment—confit ».

Pour préparer le piment—confit : mettez dans un pot à confiture en quantités égales des piments coupés en deux dans le sens de la longueur, des carottes en bâtons, des haricots verts coupés, des petites échalotes et des morceaux de chou—fleur. Remplissez de vinaigre d'alcool blanc et laissez macérer au moins 24 heures avant de les consommer. Surtout n'essayez pas de manger le piment, vous y laisseriez votre palais !

CALALOU
1ᴱᴿᴱ RECETTE

Le calalou est une soupe à base de légumes verts et d'herbages (qui sont des feuilles tendres de choux, appelées herbes à calalou). En Guadeloupe, les feuilles de chou caraïbe s'appellent séguine et madère. On peut faire le calalou soit avec du porc (jambon, lard), soit avec des crabes.

Pour 4 personnes
Préparation : 35 minutes
Cuisson : 55 minutes

500 g de gombos * 4 paquets d'herbages (ou 500 g d'épinards)* 1,5 litre d'eau* 1 bouquet garni (oignon – pays, thym, persil)* 1 oignon – France* 1 gousse d'ail * 3 citrons verts* 1 talon de jambon ou 250 g de lard ou oreilles et queue de cochon* sel* poivre

Nettoyez les gombos en enlevant la queue et les herbages en retirant les nervures centrales. Lavez bien le tout. Coupez et faites bouillir dans 1,5 lires d'eau avec le bouquet garni, l'oignon, du sel et du poivre. Faites cuire pendant 25 minutes puis passez grossièrement à la moulinette. Remettez sur le feu sans faire bouillir en incorporant le jambon en morceaux ou le lard, l'ail pilé et le jus des citrons. Surtout ne laissez pas bouillir le calalou déjà passé, il perdrait tout son velouté.

CALALOU AUX CRABES
2ᵉᵐᵉ RECETTE

Pour 4 personnes
Préparation : 30 minutes
Cuisson : 45 minutes

4 crabes * 3 cuillerées
à soupe d'huile * 5 cives
ou oignons-pays * thym *
3 gousses d'ail * 200 g
de lard de poitrine * 4 paquets
d'herbages (ou 500 g d'épinards) *
500 g de gombos * 3 citrons
verts * 1 piment * sel * poivre

Brossez les crabes, enlevez les carapaces et coupez-les en deux en laissant les pattes attachées. Faites-les revenir dans de l'huile avec les oignons-pays, l'ail pilé et le thym pendant 5 minutes. À part, faites dorer le lard coupé en dés, puis les herbages et les gombos coupés en rondelles. Couvrez avec de l'eau, salez et poivrez. Faites cuire 20 minutes, agitez vigoureusement au bâton lélé. Versez la calalou sur les crabes, en laissant mijoter 20 minutes tout doucement. Au moment de servir, incorporez l'ail, le piment entier et le jus des citrons verts.

CALALOU À LA CHIQUETAILLE DE MORUE

Pour 4 personnes
Préparation : 50 minutes
Cuisson : 55 minutes

Aux Antilles, on appelle « chiquetaille de morue » la morue grillée, émiettée et imprégnée d'une vinaigrette relevée d'oignons-pays, d'échalotes coupées finement, d'ail pilé et de piment. On peut trouver désormais de la chiquetaille de morue en semi-conserve.

500 g de gombos * 4 paquets
d'herbages (ou 500 g d'épinards) *
1,5 litre d'eau * 1 bouquet garni
(oignons-pays, thym, persil) *
1 oignon-France * 1 gousse d'ail *
3 citrons verts * 1 talon de jambon
ou oreilles et queue de cochon *
200 g de morue * 1 petit bol de riz *
sel * poivre

Sauce vinaigrette
oignons-pays * vinaigre *
huile * poivre * échalotes * ail *
piment

Préparez le calalou en suivant la 1ère recette. Servez-le avec la chiquetaille de morue. On utilise la morue séchée que l'on fait griller directement à la flamme du gaz ou au gril du four. Servez le riz et la chiquetaille dans des assiettes creuses et arrosez largement de calalou.

AMUSE-GUEULE

ACRAS

Les acras ou « marinades » sont des beignets servis le plus souvent à l'apéritif, mais ils peuvent aussi constituer une délicieuse entrée, ou un dîner léger en les accompagnant d'une salade verte bien relevée. Ils sont généralement à la morue, mais il y a bien d'autres recettes surtout à base de légumes. Libre cours à votre imagination.

PÂTE À ACRAS

Pour 4 personnes
Préparation : 20 minutes

Cette préparation sera valable pour les acras aux poissons ainsi que pour les acras aux légumes.

200 g de farine * 1 verre d'eau *
1 pincée de bicarbonate
de soude * 1 oignon—France *
1 gousse d'ail * ½ piment *
5 oignons—pays * thym * persil *
1 œuf * sel

Battez la farine au fouet et ajoutez au fur et à mesure l'eau pour éviter que la farine ne fasse des grumeaux. Hachez finement l'oignon, l'ail, le piment, les oignons—pays, le thym et le persil. Salez. Incorporez le jaune d'œuf et laissez reposer la pâte en y introduisant l'ingrédient de base (poissons ou légumes). Au dernier moment, mettez 1 pincée de bicarbonate de soude el le blanc d'œuf battu en neige très ferme. Faites cuire les acras. Plongez-les dans l'huile chaude à l'aide d'une petite cuillère.

ASTUCE : la pâte sera meilleure si on la prépare à l'avance, mais le bicarbonate et le blanc d'œuf doivent être incorporés au tout dernier moment.

ACRAS MORUE

Pour 4 personnes
Préparation : 25 minutes
Cuisson : 45 minutes environ
Dessalage : 12 heures

100 g de morue * 2 feuilles de bois d'Inde ou de laurier * 200 g de farine * 1 verre d'eau * 1 oignon–France * 1 gousse d'ail * 5 oignons–pays * thym * persil * ½ piment * 1 œuf * 1 filet de vinaigre * 1 pincée de bicarbonate de soude * sel * poivre

La veille : faites dessaler la morue dans l'eau froide plus de 12 heures.

Le jour même : faites bouillir la morue 30 minutes avec le bois d'Inde. Battez la farine au fouet en incorporant progressivement l'eau. Laissez la morue refroidir. Retirez la peau et les arêtes, hachez-la finement avec l'oignon–France, l'ail, les oignons–pays, le thym, le persil et le piment. Si vous désirez une pâte plus homogène, passez cette préparation au mixer. Assaisonnez selon votre goût, ajoutez à la pâte le jaune d'œuf et un filet de vinaigre. Au dernier moment, mettez le bicarbonate de soude et le blanc d'œuf battu en neige. Plongez les acras dans l'huile bouillante 5 minute environ, à l'aide d'une cuillère à café. En petite quantité, ils gonfleront mieux.

ASTUCE : pour que les acras ne soient pas trop denses et plus digestes, utilisez peu de morue.

ACRAS TITIRIS OU PISQUETTES

Pour 4 personnes
Préparation : 30 minutes
Cuisson : 20 minutes

Les titiris et les pisquettes sont des petits poissons.

200 g de titiris ou de pisquettes * pâte à acras

Marinade
2 citrons verts * ½ piment * 1 gousse d'ail * sel * poivre

Lavez les titiris ou les pisquettes pour faire partir le sable. Faites-les mariner avec le jus des citrons, du sel, du poivre, le piment et l'ail écrasés plus de 30 minutes. Préparez la pâte en suivant la recette et incorporez les poissons. Faites-les cuire dans de l'huile bien chaude.

ACRAS CRIBICHES OU ÉCREVISSES

Pour 4 personnes
Préparation : 30 minutes
Cuisson : 5 à 10 minutes

500 g de cribiches
(écrevisses) ou 400 g
de crevettes * pâte à acras

Marinade
ail * 1 citron vert * 1 filet
de vin blanc * sel * poivre

Épluchez les cribiches crues et faites-les mariner pendant 15 minutes avec du sel, du poivre, l'ail écrasé, le jus de citron et le vin blanc. Essuyez-les bien et mélangez-les à la pâte à acras. Faites cuire dans l'huile chaude 5 à 10 minutes suivant la coloration désirée. Vous pouvez remplacer les cribiches par des crevettes grises, des grosses crevettes, ou des langoustines. Selon la taille, vous les ferez pocher quelques minutes et vous les couperez avant de les faire mariner. Il en sera de même pour les Z'habitants (grosses écrevisses).

ACRAS D'OURSINS OU CHADRONS

Pour 4 personnes
Préparation : 30 minutes
Cuisson : 15 minutes

En créole, l'oursin est appelé chadron.

200 g d'œufs d'oursins *
pâte à acras

Marinade
1 gousse d'ail * ½ piment *
2 citrons verts * sel * poivre

Faites mariner les œufs d'oursins dans le sel, le poivre, l'ail et le piment hachés, et les jus des citrons verts pendant 30 minutes environ. Égouttez-les et incorporez-les à la pâte. Faites-les cuire à l'huile bien chaude.

ACRAS DE CHOU COCO

Pour 4 personnes
Préparation : 30 minutes
Cuisson : 15 minutes

Cœur du cocotier, le chou coco se mange cru, en salade, pour les parties tendres, ou cuit pour les parties plus dures. C'est un mets recherché car il faut avoir abattu un cocotier pour le déguster.

200 g de chou coco *
pâte à acras * sel

Coupez en dés la partie dure du chou coco. Salez légèrement et incorporez-les à la pâte à acras. Faites cuire à l'huile chaude par petites quantités.

ACRAS DE CAROTTES

Pour 4 personnes
Préparation : 30 minutes
Cuisson : 15 minutes

200 g de carottes *
1 citron vert * pâte à acras

Râpez finement les carottes et arrosez-les du jus de citron vert. Incorporez-les à la pâte à acras et plongez-les dans l'huile bouillante à l'aide d'une petite cuillère.

ACRAS DE CHOU DUR

Pour 4 personnes
Préparation : 30 minutes
Cuisson : 15 minutes

Le chou dur est une racine que l'on cuit le plus souvent à l'eau salée, comme un légume. On plante un tubercule central, « maman chou », et tout autour poussent de petits tubercules oblongs : ce sont les « graines de chou » de la taille d'une grosse pomme de terre.

1 « maman chou » *
1 morceau de giraumon
(potiron) * pâte à acras * sel *
poivre

Râpez la « maman chou » et le giraumon crus. Salez, poivrez et mélangez à la pâte à acras. Mettez dans le bain de friture bien chaud à l'aide d'une petite cuillère.

ACRAS DE CRISTOPHINES

Pour 4 personnes
Préparation : 30 minutes
Cuisson : 15 minutes

1 belle cristophine *
1 citron vert * pâte à acras

Coupez la cristophine en deux. Enlevez le cœur filandreux et retirez la peau avec un bon couteau. Râpez la cristophine crue, arrosez-la du jus d'un citron vert et incorporez-la à la pâte à acras. Faites cuire par petites cuillerées à l'huile bouillante.

ACRAS D'AuBERGINES

Pour 4 personnes
Préparation : 15 minutes
Cuisson : 30 minutes

2 belles aubergines * pâte
à acras * sel

Épluchez les aubergines et faites-les cuire à l'eau salée 15 minutes environ. Essorez-les sur du papier absorbant, écrasez-les à l'aide d'une fourchette et incorporez-les à la pâte à acras. Faites-les frire à l'huile chaude par petites quantités en évitant que les acras se touchent.

ACRAS POIS Z'YEUX NOIRS

Pour 4 personnes
Préparation : 15 minutes
Cuisson : 30 minutes

Les pois Z'yeux noirs sont des haricots blancs secs qui ont on petit œil noir. On a coutume de préparer les acras de pois Z'yeux noirs le Vendredi Saint.

250 g de pois Z'yeux noirs *
pâte à acras * sel

La veille : faites tremper les pois pendant 24 heures.
Le jour même : enlevez la pellicule qui les recouvre avant de les piler au mortier avec très peu d'eau salée. Battez cette préparation avec la pâte à acras et faites cuire à l'huile bien chaude.

SANG FRIT

Pour 4 personnes
Préparation : 15 minutes
Cuisson : 20 minutes

250 g de sang de bœuf *
1 bouquet garni
(oignons-pays) *
3 cuillerées à soupe d'huile *
1 oignon-France *
1 pimen * 1 cuillerée
à soupe de vinaigre *
hachis de persil * sel * poivre

Achetez le sang coagulé sous forme de pavé chez le boucher. Faites-le bouillir 15 minutes dans de l'eau salée et poivrée avec le bouquet garni. Laissez-le refroidir et découpez-le en languettes de 0,5 cm d'épaisseur. Faites-le frire 5 minutes à la poêle dans un peu d'huile, avec l'oignon et le piment émincés. Ajoutez un filet de vinaigre et le persil haché. Servez tiède ou froid, selon votre goût.
À la façon antillaise, le sang frit peut servir de garniture pour un sandwich.

SOUSKAÏ DE MANGUES VERTES

On appelle souskaï la façon d'assaisonner certains fruits, généralement verts, servis à l'apéritif.

Pour 4 personnes
Préparation : 10 minutes
Macération : 1 heure

3 mangues fermes et bien vertes * 1 gousse d'ail * 1 piment * 2 citrons verts * sel

Épluchez les mangues. Coupez-les en lamelles et faites-les macérer pendant 1 heure dans le jus des citrons verts avec du sel, l'ail écrasé et le piment émincé. Ajoutez un peu d'eau si nécessaire pour recouvrir la préparation. Servez les mangues piquées de bâtonnets.

SOUSKAÏ DE COCO SEC

½ coco * 1 gousse d'ail * 2 citrons verts * 1 piment * sel

Pour 4 personnes
Préparation : 10 minutes
Macération : 1 heure

Coupez la partie blanche du coco en lamelles et faites-les macérer 1 heure environ avec l'ail écrasé, du sel, le piment émincé et le jus des citrons additionné du même volume d'eau. Servez le tout dans son jus. Faites attention de ne pas manger le piment.

ASTUCE : on peut procéder de la même manière avec les parties fermes d'un chou coco coupées en carrés.

PÂTÉS SALÉS

Pour 4 personnes
Préparation : 30 minutes
Cuisson : 25 minutes

Pâte brisée
200 g de farine * 100 g de
beurre * 1 œuf * 1 jaune d'œuf *
1 cuillerée à soupe de lait *
1 pincée de sel

Farce
200 g de porc haché *
100 g d'épinards (facultatif) *
1 gousse d'ail * 1 piment *
4 oignons—pays * thym * persil *
2 graines de bois d'Inde *
1 clou de girofle * 1 cuillerée
à soupe d'huile * sel * poivre

Préparez la pâte brisée en mélangeant la farine, le beurre, du sel et l'œuf entier pour lier. Laissez reposer 1 à 2 heures et étalez la pâte à l'aide d'un rouleau à pâtisserie pour la confection des pâtés. Vous pouvez utiliser une pâte feuilletée.

Passez la viande de porc au hachoir (il ne faut pas un morceau trop sec) avec les épinards lavés et blanchis, l'ail, le piment, les oignons—pays, le thym et le persil. Ajoutez le bois d'Inde et le clou de girofle moulus finement. Salez et poivrez. Faites roussir la farce dans 1 cuillerée à soupe d'huile.

Découpez des ronds de pâte à l'aide d'un verre retourné et mouillé. Garnissez—les de farce et recouvrez—les d'un autre rond de pâte en ayant bien soin de lier les bords du pâté. Dorez le couvercle au jaune d'œuf battu avec le lait. Faites cuire à four chaud (200 °C ou th. 7—8) plus de 20 minutes.

ASTUCE : les pâtés salés, appréciés toute l'année à l'apéritif, ou encore en guise de « tienbé cœur » (petit soutien en cas de fringale), sont de rigueur au repas de Noël.

SOUSKAÏ DE PRUNES DE CYTHÈRE VERTES

Pour 4 personnes
Préparation : 10 minutes
Macération : 1 heure

4 prunes de cythère bien vertes *
1 gousse d'ail * 2 citrons verts *
1 piment * sel

Épluchez à vif les prunes de cythère et coupez—les en lamelles. Faites macérez avec l'ail écrasé, le jus des citrons verts, du sel et le piment coupé finement pendant 1 heure environ. Recouvrez d'eau si nécessaire. Servez à l'apéritif avec quelques piques.

BOUDIN CRÉOLE

Pour 6 à 8 personnes
Préparation : 45 minutes
Cuisson : 20 à 25 minutes

2 citrons verts * boyaux naturels
ou artificiels (1 petit paquet) *
2 gousses d'ail * 6 oignons−pays *
2 oignons−France * gros thym (grosses
feuilles) ou thym * bois d'Inde (2 feuilles
et 4 graines moulues) * persil * 1 piment
fort * ½ pain rassis, trempé dans l'eau
et pressé * 2 clous de girofle * 4 cuillerées
à soupe d'huile * 2 pommes de terre
bouilles * 1 verre de lait * 25 cl de sang
de bœuf ou de porc * 70 g de farine *
cordes de bananes (ou ficelle) * sel

Laissez macérer les boyaux retournés dans le jus des citrons verts additionné
d'un peu d'eau (pas trop longtemps) puis lissez−les au couteau en insistant
sur les parties plus grasses. Épluchez la moitié de l'ail, des oignons−pays, des
oignons−France et gardez les pelures. Jetez le tout dans un faitout rempli d'eau
et ajoutez du gros thym, des feuilles de bois d'Inde et du persil. Salez et poivrez.
Faites chauffer le tout.
Passez à la moulinette le reste le reste de l'ail, des oignons−pays, des oignons−
France, du persil, du thym, le piment, le pain trempé dans l'eau et pressé, les clous
de girofle, les graines de bois d'Inde (moulues au moulin à café) ; mélangez bien le
tout et faites revenir dans l'huile. Ajoutez les pommes de terre bouillies et écrasées
en purée, le lait, un peu d'eau, du pain trempé, le sang de bœuf (que l'on aura salé
et fouetté longuement pour qu'il ne coagule pas) et la farine. Rectifiez l'assaisonnement en salant, et en goûtant si vous le pouvez !
Garnissez de cette préparation les boyaux à l'aide d'un entonnoir, sans trop les
remplir. Attachez−les tous les 10 cm, avec une corde de banane ou un lien souple.
Plongez−les dans le bouillon de cuisson (celui−ci ne doit pas bouillir mais frémir)
en y ajoutant les pelures réservées. Veillez à ce que le boudin ne touche ni les
bords, ni le fond de la marmite. Faites−les cuire 15 minutes environ.
Si vous achetez le boudin tout fait, réchauffez−le en le plongeant dans une eau
salée frémissante avec un bouquet garni (oignons−pays, thym, persil), couvrez et
laissez−le tiédir 10 minutes hors du feu.
Servez à l'apéritif le boudin créole avec quelques petites tranches de pain.
Le boudin se mange avec les doigts ; on déguste l'intérieur et on laisse la peau.
Et, bien sûr, on l'accompagne de « punch » !

ENTRÉES

SALADE D'AVOCATS

Pour 4 personnes
Préparation : 10 minutes

2 avocats * crevettes ou chair
de crabe à volonté *
1 citron vert

Vinaigrette
1 cuillerée de vinaigre
de vin * 3 cuillerées à soupe
d'huile * 1 gousse d'ail *
1 piment * 2 oignons—pays *
1 échalote * persil * sel * poivre

Coupez les avocats en deux. Retirez la chair sous forme de boulettes à l'aide d'une petite cuillère, sans abîmer la peau des avocats. Préparez une vinaigrette en délayant la moutarde avec le vinaigre. Ajoutez l'huile, du sel, du poivre (en assez forte quantité), l'ail écrasé et les oignons—pays hachés. Incorporez la chair de crabe ou les crevettes si vous préférez. Garnissez les peaux en arrosant d'un jus de citron vert pour éviter que les avocats noircissent. Ne les préparez pas trop longtemps à l'avance.

AVOCAT-MORUE

Pour 4 personnes
Préparation : 20 minutes
Cuisson : 20 minutes

2 avocats * 150 g de morue
épaisse

Vinaigrette
1 cuillerée de vinaigre
de vin * 3 cuillerées à soupe
d'huile * 1 gousse d'ail *
1 piment * 2 oignons—pays *
1 échalote * persil * sel * poivre

Faites tremper la morue quelques heures à l'avance. Faites—la pocher 20 minutes, enlevez la peau, les arêtes et émiettez—la. Arrosez-la de vinaigrette relevée d'ail et du piment écrasés, des oignons—pays, de l'échalote et du persil hachés finement. Lorsque la morue est bien imprégnée de la vinaigrette, ajoutez les avocats que vous aurez pelés et coupés en dés. Servez aussitôt.

FÉROCE D'AVOCAT

Pour 4 personnes
Préparation : 15 minutes

400 g de morue *
4 avocats * 150 g de farine
de manioc * 2 cuillerées
à soupe de vinaigre * 3 cuillerées
à soupe d'huile * 1 gousse d'ail *
1 oignon–France * 1 échalote *
3 oignons–pays ou cives *
1 piment * le jus de 1 citron vert

Faites dessaler la morue dans l'eau quelques heures. Lavez-la bien puis faites-la griller sur la braise ou sous le gril du four. Épluchez-la en enlevant la peau et les arêtes. Hachez-la, arrosez-la de vinaigre, d'huile, d'ail, d'oignon et d'échalote pilés, d'oignons-pays hachés et de piment coupé très finement. Laissez la morue macérer dans cette sauce. On trouve aussi en supermarché une préparation de morue émiettée et assaisonnée que l'on peut utiliser et conserver au frais quelques temps.
Pelez les avocats, coupez-les en tranches et recouvrez-les de farine de manioc. Écrasez cette préparation à la fourchette et ajoutez la morue. Servez le tout en arrosant du jus de citron vert, soit dans un plat creux soit sous forme de boulettes. Attention à ne pas mettre trop de piment, cette recette sera « féroce » au palais !

SOUFFLÉ AUX AVOCATS

Pour 4 personnes
Préparation : 15 minutes
Cuisson : 30 minutes

50 g de beurre *
2 cuillerées à soupe
de farine * 25 cl de lait *
4 avocats * 1 citron vert *
1 échalote * 1 gousse d'ail *
noix de muscade *
3 jaunes d'œufs * 1 cuillerée
à soupe de crème fraîche *
100 g de gruyère râpé *
5 blancs d'œufs * sel * poivre

Préparez la béchamel : faites fondre 40 g de beurre. Saupoudrez de farine et mouillez avec le lait en tournant à l'aide d'une cuillère en bois, pour éviter les grumeaux, jusqu'à ébullition. Faites cuire à feu très doux quelques minutes et laissez refroidir.
Épluchez les avocats. Réduisez-les en purée en les passant au mixer. Ajoutez le jus du citron vert, l'échalote et la gousse d'ail hachées, du sel, du poivre, de la noix de muscade râpée puis les jaunes d'œufs mélangés à la crème fraîche. Incorporez cette préparation à la béchamel, ainsi que les 100 g de gruyère râpé, et enfin les 5 blancs d'œufs battus en neige très ferme. Beurrez un moule à soufflé et faites cuire à four moyen à 180 °C (th. 6) pendant 30 minutes.

SALADE EXOTIQUE

Pour 4 personnes
Préparation : 10 minutes

1 pamplemousse * 2 avocats *
1 petite boîte de maïs * 1 petit
verre de mayonnaise *
2 œufs durs

Mayonnaise
1 jaune d'œuf * 1 bonne
cuillerée à soupe de moutarde
blanche * huile* curry* piment
de Cayenne* sel* poivre

Épluchez les avocats et coupez-les en dés.
Incorporez-les au maïs ainsi que les tranches
de pamplemousse. Faites une mayonnaise
très relevée avec la moutarde blanche, du sel,
du poivre et ajoutez le curry et le piment de
Cayenne en bonne quantité, selon votre goût.
Décorez la salade de rondelles d'œufs durs.

SALADE D'AUBERGINES

Pour 4 personnes
Préparation : 15 minutes
Cuisson : 10 à 15 minutes

2 belles aubergines
(ou bélangères) * hachis
de persil

Vinaigrette
1 cuillerée à soupe
de vinaigre de vin *
3 cuillerées à soupe d'huile *
1 gousse d'ail hachée *
1 échalote émincée *
2 oignons-pays émincés * sel *
poivre

Épluchez les aubergines et faites-les cuire
dans une casserole d'eau salée 10 à 15 minutes. Laissez-les refroidir et écrasez-les à
l'aide d'une fourchette. Faites-les macérer
dans une vinaigrette bien relevée. Saupoudrez
le tout d'un hachis de persil. Servez très frais.

SALADE DE CRISTOPHINES

2 cristophines * hachis
de persil

Vinaigrette
1 cuillerée à soupe de
vinaigre de vin *
3 cuillerées à soupe d'huile *
1 échalote * 1 gousse d'ail *
2 oignons–pays hachés * sel *
poivre

Pour 4 personnes
Préparation : 15 minutes
Cuisson : 10 à 15 minutes

1ère recette
Coupez les cristophines en quatre dans le sens de la longueur. Retirez la peau et le cœur et coupez–les morceaux de cristophines en petits cubes. Faites–les cuire dans l'eau salée pendant 10 à 15 minutes. Lorsqu'elles sont cuites, égouttez les cristophines et arrosez-les de vinaigrette préparée. Servez tiède avec un hachis de persil.

2e recette
Épluchez les cristophines et râpez–les (« grager » en créole) sans aller jusqu'au cœur. Assaisonnez–les d'une vinaigrette comme dans la 1ère recette mais en remplaçant le vinaigre de vin par le jus de 2 citrons verts. Servez bien frais.

SALADE DE GOMBOS À LA CRÉOLE

Pour 4 personnes
Préparation : 10 minutes
Cuisson : 20 minutes

Les gombos, petits légumes verts, sont très appréciés des Antillais qui les appellent aussi « asperges du pauvre ».

500 g de jeunes gombos *
1 pincée de bicarbonate
de soude * 1 piment
(facultatif) * 1 gousse d'ail *
2 citrons verts * 50 g
de beurre * sel * poivre

Choisissez de jeunes gombos bien tendres. Lavez–les et retirez une partie du pédoncule. Faites–les cuire dans très peu d'eau salée pendant 20 minutes environ, avec 1 pincée de bicarbonates si vous voulez qu'ils restent verts, et 1 piment. Écrasez 1 gousse d'ail sur le fond de votre plat de service et arrosez du jus des citrons. Versez les gombos et recouvrez–les du jus de cuisson. Salez et poivrez la préparation. Retirez le piment juste avant de servir. Ajoutez un peu de beurre frais.
Les gombos se mangent soit à la fourchette, en laissant de côté le pédoncule qui est plus ferme, soit à la façon créole, en tenant le pédoncule entre deux doigts et en écrasant le gombo à la fourchette pour qu'il s'imprègne du « jus ». On peut aussi consommer les gombos refroidis accompagnés d'une vinaigrette.

SALADE D'ÉPINARDS

Pour 4 personnes
Préparation : 20 minutes
Cuisson : 15 minutes

Les épinards que l'on trouve aux Antilles sont différents de ceux de la Métropole. Leurs feuilles s'accrochent à une tige que l'on utilise aussi coupée en « bâtons ». Mais on peut très bien réaliser cette recette avec des « épinards–France ».

500 g d'épinards * 1 pincée de bicarbonate de soude * 1 gousse d'ail * 2 citrons verts * piment * 50 g de beurre * sel * poivre

Nettoyez bien les épinards. Séparez les feuilles et coupez les « bâtons ». Ôtez les fleurs, s'il y en a, puis faites cuire à l'eau froide salée avec une pincée de bicarbonate qui conservera aux épinards leur couleur verte. Dans le fond de votre plat, écrasez la gousse d'ail. Arrosez avec le jus des citrons verts. Salez, poivrez et pimentez. Disposez les épinards et mouillez avec un peu de jus de cuisson. Servez les épinards tièdes avec quelques noisettes de beurre frais ou égouttés et froids avec une vinaigrette à l'échalote.

SALADE DE CONCOMBRES

Pour 4 personnes
Préparation : 10 minutes

2 jeunes concombres * 1 petite gousse d'ail * 1 piment (facultatif) * 2 citrons verts * sel

Épluchez les concombres. Creusez-les à l'aide d'une petite cuillère pour retirer les pépins et coupez-les en fines lamelles mettez-les immédiatement au frais pour qu'ils ne dégorgent pas ; ils doivent rester fermes et croquants. Au moment de servir, écrasez l'ail et le piment. Salez abondamment et arrosez avec le jus des citrons verts. Le jus de citron doit être mis en dernier pour dissoudre le sel. Préparé de cette façon (non dégorgé), le concombre est plus digeste.

SALADE DE CHOU POMMÉ

Pour 4 personnes
Préparation : 10 minutes

½ chou pommé, jeune et blanc

Vinaigrette
1 cuillerée à soupe de vinaigre de vin * 3 cuillerées à soupe d'huile * 1 gousse d'ail * 1 échalote * piment (facultatif) * sel * poivre

Coupez le chou en chiffonnade. Vous pouvez aussi le « grager » (râper). Assaisonnez-le avec une vinaigrette bien relevée d'ail et d'échalote écrasés et éventuellement de piment. Mélangez bien et mettez au frais jusqu'au moment de servir.
Vous pouvez faire un assortiment de toutes ces salades, en les agrémentant de tomates, de carottes râpées... Ces salades, hautes en couleurs et aux goûts divers, sont appétissants surtout les jours chauds.

PATATES DOUCES EN VINAIGRETTE

Pour 4 personnes
Préparation : 10 minutes
Cuisson : 20 minutes

750 g de patates douces * 4 cuillerées à soupe d'huile * 1 cuillerée à soupe de vinaigre * cives ou oignons-pays * fines herbes * persil * sel * poivre

Épluchez les patates douces. Coupez-les en rondelles ou en cubes et faites-les cuire dans l'eau salée 15 à 20 minutes. Assaisonnez-les chaudes avec une vinaigrette agrémentée d'oignons-pays émincés, de fines herbes et de persil.

ROUGAIL DE MANGUES VERTES

Pour 4 personnes
Préparation : 15 minutes

4 œufs * 2 gousses d'ail * 1 oignon-France * 2 oignons-pays * thym * 3 cuillerées à soupe d'huile * 1 petit morceau de piment * 1 œuf dur * sel * poivre

Épluchez les mangues vertes et coupez-les en morceaux. Passez-les à la moulinette avec le persil, l'oignon-France, les oignons-pays et le thym. Salez, poivrez et incorporez l'huile à la pâte obtenue en écrasant très finement un peu de piment. Décorez le rougail d'un œuf dur et de persil hachés.

ŒUFS FARCIS
À LA CRÉOLE

Pour 4 personnes
Préparation : 15 minutes
Cuisson : 12 minutes

4 œufs * 2 gousses d'ail *
1 oignon—France *
4 oignons—pays * persil *
thym * 1 verre de lait *
80 g de mie de pain *
1 cuillerée à soupe d'huile *
chapelure * piment rouge
(décoration) * sel * poivre

Faites cuire les œufs « au dur » pendant
10 minutes. Écalez-les et coupez-les en
deux dans le sens de la longueur. Passez au
mouli-persil, 1 gousse d'ail, l'oignon, les oignons-pays, le persil et le thym. Écrasez les
jaunes d'œufs à la fourchette avec les épices
et la mie de pain, que vous aurez fait tremper préalablement dans du lait. Si vous faites
chauffer le lait, la mie de pain s'en imprégnera
mieux. « Purgez » la mie de pain et ajoutez une goutte de lait à la farce si elle vous
semble épaisse. Faites-la revenir dans un
peu d'huile avec 1 gousse d'ail écrasée, sans
laisser colorer. Rectifiez l'assaisonnement et
remplissez les ½ blancs d'œufs de cette farce
en ajoutant un peu de chapelure et une la-
melle de piment rouge que l'on se gardera
bien de consommer !

ŒUFS AU « JUS »

Pour 4 personnes
Préparation : 25 minutes
Cuisson : 30 minutes

Il s'agit d'une recette familiale martiniquaise, spécialité de « Da Richard ». La « Da »
est la personne qui s'occupe plus particulièrement des enfants et qui leur prépare à
manger. On parle de « jus » en créole et non de sauce.

4 œufs * 2 tomates *
1 oignon—France *
1 bouquet garni (oignons-
pays, thym, persil) * piment
(facultatif) * 2 cuillerées à
soupe d'huile * 1 graine de bois
d'Inde * 3 cuillerées à soupe de
vinaigre d'alcool * sel

Ébouillantez quelques secondes les tomates pour en retirer plus facilement la peau.
Épépinez-les et coupez-les en morceaux.
Émincez l'oignon. Faites revenir le tout dans
un peu d'huile avec le bouquet garni. Ajoutez
le bois d'Inde écrasé. Laissez mijoter le « jus
» pendant 15 minutes avec un petit morceau
de piment que l'on retirera au moment de
servir. Mouillez avec un peu d'eau si nécessaire. Faites pocher les œufs dans de l'eau
salée bien vinaigrée. Il est plus facile de faire
pocher les œufs à l'aide d'une louche. Disposez les œufs dans des ramequins individuels et arrosez-les du « jus » passé. Servez
le tout bien chaud.

SOUFFLÉ D'OURSINS

Pour 4 personnes
Préparation : 20 minutes
Cuisson : 25 à 30 minutes
Marinade : 1 heure

L'oursin comestible aux Antilles est blanc, c'est le chadron.

250 g d'œufs d'oursins *
50 g de beurre * 2 cuillerées
à soupe de farine * 25 cl
de lait * 3 jaunes d'œufs *
1 cuillerée à soupe
de crème fraîche *
50 g de gruyère râpé *
5 blancs d'œufs * sel * poivre

Marinade
1 gousse d'ail * 1 piment *
2 citrons verts * sel

Laissez macérer les œufs d'oursins crus pendant 1 heure avec l'ail écrasé, le piment en morceaux, du sel et le jus des citrons. Préparez une béchamel en faisant fondre le beurre. Mélangez à l'aide d'une cuillère en bois avec la farine. Hors du feu, mouillez petit à petit avec le lait. Salez et poivrez. Délayez dans un bol à part les jaunes d'œufs avec la crème fraîche. Incorporez cette préparation à la béchamel refroidie. Ajoutez le gruyère râpé, les oursins bien égouttés et retirez le piment. Au dernier moment, battez les blancs d'œufs en neige très ferme et incorporez-les à la préparation. Enfournez à 180 °C (th. 6) pendant 25 à 30 minutes. Le soufflé est cuit quand il monte et qu'il commence à sentir. Servez-le aussitôt.

TÊTE CHADRONS SAUTÉES

Pour 4 personnes
Préparation : 10 minutes
Cuisson : 5 minutes

Les « têtes chadrons » sont de grosses coquilles d'oursins blancs qui ont été remplies d'une trentaine de languettes d'œufs d'oursins et grillées à la braise. On les achète sur les marchés antillais.

2 têtes chadrons * 2 cuillerées
à soupe d'huile * 30 g de beurre *
3 oignons-pays *
1 petit-oignon-France *
hachis de persil * 1 piment
(facultatif) * 2 citrons verts

Videz délicatement les coquilles d'oursins en séparant les œufs. Faites revenir ces derniers tout doucement au beurre et à l'huile, dans une poêle, avec les oignons-pays, l'oignon-France et le persil hachés finement. Si vous le désirez, ajoutez un peu de piment. Servez chaud en arrosant abondamment de jus de citron.

BLAFF D'OURSINS

Pour 4 personnes
Préparation : 10 minutes
Cuisson : 3 minutes
Marinade : 1 heure

Le « blaff » est la façon la plus simple de cuire un poisson ou un crustacé après l'avoir assaisonné. On le plonge quelques instants dans l'eau bouillante aromatisée et il cuit très peu de temps.

400 g d'œufs d'oursins *
75 cl d'eau * 1 bouquet garni
(oignons–pays, thym, persil) *
1 oignon–France

Marinade
1 graine ou 1 feuille
de bois d'Inde * 1 gousse d'ail *
1 piment * 4 citrons verts * sel *
poivre

Faites mariner les œufs d'oursins avec la feuille de bois d'inde et l'ail écrasé, le piment coupé sans les « graines » (pépins), le sel, le poivre et le jus des citrons verts pendant 1 heure. Faites cuire les œufs d'oursins égouttés dans 75 cl d'eau aromatisée avec le bouquet garni et l'oignon coupé en lamelles pendant 3 minutes. Servez les oursins avec le jus de cuisson dans une assiette creuse. Rectifiez l'assaisonnement avec le jus d'un autre citron vert si nécessaire. Selon votre goût, ajoutez du piment.

ASTUCE : on sert très souvent, pour accompagner les poissons et les crustacés, une assiette avec du piment frais et du citron coupé en « palette » : à l'aide d'un couteau pointu, on découpe le citron vert autour des « graines » centrales.

BLAFF DE SOUDONS

Pour 4 personnes
Préparation : 30 minutes
Cuisson : 6 minutes

Les soudons sont des coquillages que l'on pêche dans le sable et que l'on pourra remplacer en Métropole par des coques.

4 douzaines de soudons *
75 cl d'eau * 1 gros oignons–
France * 1 bouquet garni
(3 oignons–pays, thym,
persil) * 2 feuilles de bois
d'Inde * 1 gousse d'ail *
4 citrons verts * 1 piment *
sel * poivre

Faites bouillir l'eau du blaff 2 à 3 minutes avec l'oignon coupé en lamelles, le bouquet garni, le bois d'Inde, l'ail écrasé, du sel, du poivre et le jus de 2 citrons. Lavez et rincez les coquillages plusieurs fois à l'eau claire, ouvrez-les et détachez-les de leur coquille. Plongez-les dans l'eau frémissante du blaff pendant 2 à 3 minutes. Présentez dans un plat creux les coquillages arrosés du jus des 2 autres citrons et l'eau du blaff. Rectifiez l'assaisonnement si nécessaire et servez avec 1 piment que chacun dosera à sa convenance.

CRUSTACÉS

CHATROU À LA CASSEROLE

Pour 4 personnes
Préparation : 35 minutes
Cuisson : 45 minutes

Le chatrou, aux Antilles, c'est le poulpe.

1 chatrou de bonne taille *
3 citrons verts * 1 cuillerée
à soupe d'huile * 1 bouquet garni
(thym, oignons–pays, persil) *
bois d'Inde (2 feuilles de laurier) *
3 tomates * 1 oignon * 1 cuillerée
à soupe de concentré de tomates *
1 verre de vin rouge * sel *
poivre

Frottez le chatrou à l'aide d'une feuille de journal froissée ou de feuilles de giraumon (potiron) ou encore de cristophines pour en retirer la glu. Retournez le bonnet (ou la calotte) pour faire sortir l'encre. Battez–le bien (c'est le plus important). Rincez–le puis badigeonnez–le copieusement avec 3 moitiés de citrons verts et coupez–le en morceaux assez gros.

Mettez–le à la cocotte avec du sel, du poivre, un peu d'huile, le bouquet garni, le bois d'inde, 2 clous de girofle, 1 gousse d'ail, du piment non écrasé et 2 feuilles de laurier. Couvrez avec très peu d'eau, car il rendra son jus en cuisant. Ajoutez 3 tomates pelées et épépinées, 1 oignon émincé et un peu de concentré de tomates. Portez à ébullition. Quand l'eau est évaporée, laissez roussir en arrosant de temps en temps d'un peu d'eau. Terminez avec 1 verre de vin rouge, 1 gousse d'ail pilée et rectifiez l'assaisonnement avant de servir (citron, sel, poivre).

Le chatrou se sert traditionnellement avec des haricots rouges « crevés » (bien cuits) dans leur jus de cuisson et un « riz » debout (pas trop cuit et dont les grains se détachent).

Le lambi est un gros coquillage des Antilles dont l'intérieur est rose et nacré. Enlevez l'intestin et la glu à l'aide d'une feuille de journal ou de feuilles de giraumon (potiron), battez longuement le lambi, rincez-le et citronnez-le. Pour rendre le lambi plus tendre, ébouillantez-le quelques secondes et retirez la fine pellicule dont il est recouvert. Cette préparation est valable pour toutes les recettes de lambis. On trouve également le lambi nettoyé (congelé le plus souvent) prêt à être cuisiné.

LAMBIS GRILLÉS

Pour 4 personnes
Préparation : 40 minutes
Cuisson : 15 minutes
Marinade : 2 heures

2 lambis * 3 citrons verts * sel * poivre

Sauce chien
2 échalotes * 1 gousse d'ail * 3 oignons-pays * persil * 1 piment * 1 cuillerée à soupe d'huile * 1 citron vert * 1 bol d'eau bouillante

Laissez macérer les lambis nettoyés et battus dans le jus de 3 citrons verts avec du sel pendant 2 heures. Faites-les griller à la flamme vive d'un feu de bois ou, à défaut, au gril de votre four. Coupez-les en morceaux et servez-les baignant copieusement dans une sauce chien composée de persil, d'échalotes, d'oignons-pays et d'ail hachés menu, d'un piment éclaté, de sel, de poivre, d'une cuillerée d'huile et d'un jus de citron vert, le tout arrosé d'eau bouillante.
Vous pouvez aussi présenter les morceaux de lambis grillés sur des brochettes et arrosés de la même sauce. Les lambis grillés se servent souvent à l'apéritif ou en entrée.

FRICASSÉE DE LAMBIS

Pour 4 personnes
Préparation : 30 minutes
Cuisson : 1h15
Marinade : 2 heures

2 lambis * 3 tomates * 3 citrons verts * 1 bouquet garni (oignons-pays, thym, persil) * 3 cuillerées à soupe d'huile * 3 gousses d'ail * sel * poivre

Laissez mariner pendant 2 heures les lambis nettoyés et coupés en morceaux dans le jus de 2 citrons verts avec du sel et 1 gousse d'ail écrasée. Dans une casserole, faites-les bouillir dans l'eau salée 40 minutes environ. Vérifiez leur cuisson, ils doivent être tendres. À part, faites revenir dans 3 cuillerées à soupe d'huile les tomates, le bouquet garni, les 2 autres gousses d'ail pendant 5 minutes avant d'ajouter les morceaux de lambis. Mouillez avec le jus de cuisson des lambis et laissez mijoter tout doucement 30 minutes. Ajoutez le jus d'un citron vert au dernier moment. Servez cette fricassée accompagnée de haricots rouges, de riz ou de légumes du pays.

COQUILLES DE LAMBIS OU TARTE AUX LAMBIS

Pour 4 personnes
Préparation : 20 minutes
Cuisson : 30 minutes
Marinade : 2 heures

2 lambis * 2 citrons verts *
2 gousses d'ail * 1 bouquet garni
(thym, oignons–pays, persil) *
1 piment (facultatif) * 3 cuillerées
à soupe d'huile * 1 oignon–France *
200 g de champignons de Paris
(facultatif) * 40 g de beurre *
2 cuillerées à soupe de farine *
25 cl de lait * noix de muscade *
150 g de gruyère râpé * sel * poivre

Faites mariner les lambis nettoyés, battus dans le jus des citrons avec du sel, 1 gousse d'ail écrasée, le bouquet garni et le piment pendant 2 heures environ. Coupez–les en tout petits morceaux, faites–les revenir à feu doux dans un peu d'huile avec l'oignon haché, 1 gousse d'ail écrasée et les champignons émincés. Préparez une béchamel avec le beurre, la farine et le lait versé progressivement. Salez, poivrez et râpez un peu de noix de muscade. Laissez cuire quelques minutes. Incorporez à la béchamel, 100 g de gruyère râpé et la préparation des lambis. Versez dans des ramequins individuels allant au four ou dans des coquilles Saint–Jacques. Parsemez de gruyère râpé et de noisettes de beurre. Enfournez à 200 °C (th. 7) 10 minutes environ.
On peut également mettre cette préparation sur un fond de tarte brisée pour obtenir une tarte aux lambis 35 minutes au four à 180 °C (th. 6).

La langouste, abondante dans les mers des Antilles, a l'avantage de pouvoir être consommée toute fraîche. La meilleure façon de la préparer est de la plonger vivante (en ayant soin de ne pas briser les antennes) dans de l'eau de mer que l'on aura fait bouillir avec un bouquet garni (thym, oignons–pays, persil), de l'ail écrasé et un oignon–France piqué de clous de girofle. Cuite ainsi, les Antillais préfèrent la déguster avec une vinaigrette relevée d'échalotes ou une sauce chien, plutôt qu'accompagnée de la traditionnelle mayonnaise.

LANGOUSTES GRILLÉES SAUCE CHIEN

2 ou 4 langoustes suivant la taille

Sauce chien
2 échalotes * 3 oignons– pays *
1 gousse d'ail * 1 citron vert *
1 piment * 1 bol d'eau chaude *
1 cuillerée à soupe d'huile *
1 œuf dur (facultatif) * câpres
(facultatif) * sel * poivre

Pour 4 personnes
Préparation : 15 minutes
Cuisson : 15 minutes

Pour préparer une langouste grillée, il est souhaitable de l'ébouillanter d'abord quelques secondes pour éviter qu'elle ne soit trop sèche. Coupez les langoustes en deux dans le sens de la longueur et faites–les griller sur la braise ou sur le gril de votre four. Préparez la sauce chien avec les échalotes et les oignons hachés, le piment (que l'on retire avant de servir), le jus de citron, l'huile, du sel, du poivre et l'eau chaude.
Si vous souhaitez une sauce chien plus élaborée, incorporez 1 œuf dur écrasé, un hachis de persil et quelques câpres.
La langouste grillée est aussi appréciée avec un beurre tiédi, citronné et persillé.

FRICASSÉE DE LANGOUSTE

1 belle langouste *
3 cuillerées à soupe d'huile
d'olive * 1 oignon—France *
1 bouquet garni (thym,
oignons—pays, persil) *
1 piment (facultatif) *
1 feuille de laurier * 1 feuille
de bois d'inde * 2 cuillerées
à soupe de concentré
de tomates * 1 verre de vin
blanc * 1 citron vert *
1 gousse d'ail * 1 pincée
de piment de Cayenne * hachis
de persil * sel * poivre

Pour 4 personnes
Préparation : 15 minutes
Cuisson : 20 minutes

Coupez la langouste vivante en tronçons et faites—les revenir dans l'huile d'olive. Lorsque les morceaux sont colorés, ajoutez l'oignon, le bouquet garni, le piment, le laurier, le bois d'Inde, le concentré de tomates (en ayant soin de le délayer avec le jus qu'aura rendu la langouste). Salez, poivrez et mouillez avec 1 verre de vin blanc. Laissez mijoter 15 minutes environ et ajoutez l'intérieur de la tête avec 1 jus de citron vert. Au dernier moment, rectifiez l'assaisonnement avec 1 pincée de piment de Cayenne et 1 gousse d'ail écrasée. Parsemez de persil haché. Servez chaud avec un riz créole.

TERRINE DE LANGOUSTES

1,5 kg de queues
de langoustes * thym *
2 feuilles de bois d'Inde *
1 boîte de 500 g de tomates
pelées * 6 branches
de basilic * 2 cuillerées
à soupe d'huile d'olive *
1 gousse d'ail * 8 œufs * sel *
poivre

Mayonnaise
1 jaune d'œuf * 1 cuillerée
à soupe de moutarde forte *
25 cl d'huile (dont 12,5 cl d'huile
d'olive) * sel * poivre

Pour 8 personnes
Préparation : 35 minutes
Cuisson : 1 heure

Plongez les queues de langoustes dans l'eau de mer bouillante ou à défaut dans 2,5 litres d'eau avec du thym, le bois d'Inde, du poivre et du sel de Guérande. Faites cuire 10 minutes environ. Laissez—les refroidir et sortez—les de leur carapace.
Dans une sauteuse, faites revenir 20 à 30 minutes les tomates pelées avec 4 branches de basilic ciselé, 1 cuillerée à soupe d'huile d'olive, du sel, du poivre et l'ail écrasé jusqu'à l'obtention d'une purée très épaisse. Battez les œufs en omelette et ajoutez la préparation des tomates. Incorporez les langoustes coupées en gros morceaux. Faites cuire au bain—marie au four à 160 °C (th. 5–6), après avoir graissé à l'huile d'olive un moule prévu à cet effet. On le cuira par tranches de 5 à 10 minutes, en répétant plusieurs fois l'opération jusqu'à ce que la terrine prenne entièrement. Démoulez—la lorsqu'elle est bien froide et servez—la accompagnée d'une mayonnaise dans laquelle on aura coupé finement le reste du basilic.

Parmi les écrevisses (« cribiches » en créole), les connaisseurs distinguent les longs bras, les queues rouges, les boucs, mais les Z'habitants ou ouassous en Guadeloupe sont les plus appréciés car ils peuvent atteindre la taille d'une petite langouste.

FRICASSÉE D'ÉCREVISSES OU LES Z'HABITANTS « VAVA »

Pour 4 personnes
Préparation : 35 minutes
Cuisson : 25 minutes
Marinade : 30 minutes

12 Z'habitants de bonne taille * 10 citrons verts (pour la macération, vous pouvez utiliser des limes) * 5 gousses d'ail * 4 feuilles de bois d'Inde * 2 cuillerées à soupe d'huile d'olive * 20 g de beurre * 3 tomates * 3 cuillerées à soupe de concentré de tomates * 1 verre de rhum vieux * 1 oignon-France * 1 gros bouquet garni (6 oignons-pays, 3 branches de thym, 3 branches de persil) * 1 piment * 1 grand verre de vin blanc sec * sel * poivre

Brossez délicatement les Z'habitants sous l'eau. Faite-les macérer 30 minutes avec le jus de 8 citrons verts, 2 gousses d'ail écrasées, les feuilles de bois d'Inde, du sel et du poivre. Faites revenir dans une sauteuse avec l'huile et le beurre, 2 gousses d'ail pilées, les tomates et le concentré. Versez les écrevisses avec leur jus d'assaisonnement, laissez réduire puis flambez-les avec le verre de rhum. Retirez les feuilles de bois d'Inde et ajoutez l'oignon-France émincé, le bouquet garni, le piment entier (en prenant soin de ne pas le faire éclater), et le vin blanc. Laissez mijoter environ 15 minutes. Rectifiez l'assaisonnement selon votre goût en ajoutant le jus de 1 citron vert, du sel, du poivre et le reste de l'ail pilé. Servez bien chaud, accompagné d'un riz créole (dont les grains se détachent).

ASTUCE : avant de servir, retirez le piment et présentez-le sur une assiette. Les amateurs pourront en extraire le jus et en mélanger quelques gouttes à la sauce des Z'habitants.

BLAFF D'ÉCREVISSES OU « ÉCREVISSES À LA FLOTTE »

Pour 4 personnes
Préparation : 25 minutes
Cuisson : 7 à 8 minutes

12 écrevisses * 4 citrons verts * 1 gros bouquet garni (thym, oignons-pays, persil) * 3 feuilles de bois d'Inde * 2 gousses d'ail * 1 oignon-France * 1 piment entier * sel * poivre

Sauce piquante
1 oignon-France * 2 oignons-pays * 1 gousse d'ail * 1 morceau de piment * persil * 2 citrons verts * 1 filet d'huile et de vinaigre * 1 bol d'eau de cuisson * sel * poivre

Brossez et lavez les écrevisses. Citronnez-les avec la peau des 4 citrons. Préparez l'eau du « blaff » avec le bouquet garni, les feuilles de bois d'Inde, l'ail, l'oignon-France, le piment entier, du sel et du poivre. Laissez bouillir 5 minutes et plongez les écrevisses. Faites-les cuire 2 à 3 minutes. Servez-les dans leur eau de cuisson avec une sauce piquante présentée à part.
Préparez la sauce piquante : hachez très finement l'oignon-France, les oignons-pays, l'ail, le petit morceau de piment et le persil. Versez sur le tout le jus des citrons verts, un filet d'huile et de vinaigre et un bol d'eau de cuisson des écrevisses. Salez et poivrez.

Aux Antilles, on distingue deux sortes de crabes :
– les crabes de mer (ciriques ou étrilles, les tourlourous à carapace rouge) ;
– les crabes de terre, qui sont les plus appréciés (voir Lexique)

MATOUTOU OU MATÉTÉ DE CRABES

Pour 4 personnes
Préparation : 40 minutes
Cuisson : 45 minutes

Aux Antilles, on utilise généralement le crabe de terre pour cette recette (voir Lexique). Il se consomme surtout au moment de Pâques et de la Pentecôte. C'est à cette époque que sa carapace est la plus dure (il en change chaque année, car il mue). Traditionnellement, le samedi de Pâques dit « Samedi Gloria », on le mange en « sauce de crabes », et le dimanche ou le lundi en « matoutou » ou « matété ». Le plus souvent, la préparation se fait en famille, à la plage sous les cocotiers !

8 crabes * 5 citrons verts * 10 oignons–pays * 2 oignons–France * 5 brins de persil * 1 cuillerée à soupe de sel * 5 gousses d'ail * 2 ou 3 tomates * 6 cuillerées à soupe d'huile * 5 graines de bois d'Inde + 2 feuilles * 5 clous de girofle * 2 feuilles de laurier * 800 g de riz * 1,5 litre d'eau environ * poivre

Enfoncez la pointe d'un couteau entre les deux yeux des crabes vivants. Brossez-les énergiquement sous l'eau courante en insistant aux attaches des pattes. Enlevez la queue repliée sous le ventre. Mettez les crabes dans un récipient contenant de l'eau et le jus de 3 citrons. Retirez l'extrémité des pattes en la cassant et concassez légèrement les pinces pour que la sauce y pénètre. Ôtez la carapace, mais conservez la graisse (partie marron ou jaune qui reste à l'intérieur) avant de la jeter. Enlevez les branchies, les yeux et les mandibules. Cassez le corps des crabes en deux en y laissant les pattes.

Mettez dans un récipient de cuisson les demi-crabes un peu écrasés, la graisse des crabes, les oignons émincés, les oignon–pays, le persil, du sel, du poivre, l'ail, les tomates en quartier, les jus des 2 citrons, l'huile, le bois d'Inde en graines et en feuilles, les clous de girofle, le laurier. Faites cuire à feu vif pour colorer, puis laisser mijoter 15 minutes. Versez le riz et l'eau sur les crabes. Laissez cuire 30 minutes environ en ajoutant un peu d'eau s'il le faut.

SAUCE DE CRABES OU DE CIRIQUES

Pour 4 personnes
Préparation : 30 minutes
Cuisson : 20 minutes

8 crabes ou ciriques (étrilles) *
2 piments (facultatif) *
1 bouquet garni (thym,
persil, oignons–pays) *
3 feuilles et 3 graines de bois
d'Inde * 2 gousses d'ail *
1 oignon–France *
oignons–pays * 3 citrons verts *
persil * sel * poivre

Brossez les crabes. Plongez–les dans un faitout d'eau bouillante contenant 1 piment, 1 gousse d'ail pilée, du sel et du poivre. Laissez cuire 15 minutes. Lorsque les crabes sont refroidis, enlevez leur carapace et gardez leur « graisse ».

Préparez la sauce avec l'oignon–France, les oignons–pays, l'ail et le persil hachés, le piment, le jus des citrons verts, le sel, la « graisse » des carapaces et celle prélevée sur le dessus de l'eau de cuisson des crabes. Disposez les crabes sur cette préparation et mouillez abondamment le tout avec le jus de cuisson des crabes. Vous pouvez servir avec un riz « debout ».

CRABES FARCIS

Pour 4 personnes
Préparation : 1 heure
Cuisson : 35 minutes

10 crabes * 4 citrons verts *
1 bouquet garni (oignons–pays,
thym, persil) * 1 piment *
100 g de mie de pain trempée
dans du lait * persil * 4 cives ou
oignons–pays * 1 gousse d'ail *
chapelure * 30 g de beurre *
8 piments Z'oiseaux (décoration) *
sel * poivre

Brossez les crabes et jetez–les vivants dans l'eau bouillante salée avec le bouquet garni, le jus des citrons et la moitié d'un piment. Il faut environ 15 minutes pour les cuire. Décortiquez toutes les parties comestibles des crabes. Conservez 8 carapaces. Faites revenir 10 minutes la chair des crabes émiettée avec la mie de pain essorée, les oignons–pays, l'ail et l'autre moitié du piment hachés. Mouillez si nécessaire avec un peu de jus de cuisson des crabes. Rectifiez l'assaisonnement de la farce en sel et poivre. Garnissez les carapaces de cette préparation et décorez avec la chapelure, un brin de persil et un petit piment oiseau. Disposez une noisette de beurre sur chaque crabe. Faites cuire au four à 200 °C (th. 7) et servez chaud. Vous pouvez également utiliser cette recette pour les ciriques (ou étrilles).

En Métropole, à défaut de crabes de terre, vous pourrez farcir à la façon créole, les tourteaux ou les étrilles.

TARTE AUX CRABES

Pour 4 à 6 personnes
Préparation : 20 minutes
Cuisson : 30 minutes

350 g de chair de crabes de terre
ou 350 g de chair de crabes farcis
ou à défaut 300 g de chair de tourteaux *
1 cuillerée à soupe d'huile d'olive *
4 oignons—pays * 30 g de beurre *
2 cuillerées à soupe de farine *
25 cl de lait * 60 g de gruyère râpé *
3 œufs * 1 cuillerée à soupe
de crème fraîche * 2 piments doux *
1 piment * 1 gousse d'ail *
2 fromages toastinettes * sel * poivre

Pâte brisée
250 g de farine * 130 g de beurre *
1 œuf * 1 cuillerée à soupe d'eau * sel

Foncez votre moule à tarte d'une pâte brisée que vous aurez obtenue en mélangeant la farine au beurre mou et en liant le tout avec l'œuf et l'eau. Mettez au réfrigérateur et laissez reposez 1 heure environ.
Faites revenir avec l'huile d'olive les oignons—pays coupés très fins. Réservez. Dans la même casserole, faites une béchamel épaisse avec le beurre, la farine, du sel, du poivre et 20 g de gruyère râpé. Ajoutez les oignons—pays émincés avec leur jus. Incorporez les 3 œufs battus, la crème fraîche et les 2 piments doux coupés finement en ayant pris soin de retirer les graines. Dans la préparation de chair de crabes émiettée, « faites courir » le piment coupé en deux. Mettez l'ail écrasé, du sel et du poivre. Rectifiez l'assaisonnement si nécessaire. Retirez le piment puis incorporez la chair de crabe à la béchamel.
Si vous faites cuire vos tourteaux vous—mêmes (à l'eau froide puis 10 à 15 minutes après l'ébullition), gardez le jus et l'intérieur de la carapace pour les intégrer à la préparation, le goût en sera meilleur.
Sur la pâte brisée, disposez les toastinettes coupés en dés et versez le mélange crabe—béchamel. Faites chauffer votre four pendant 10 minutes à 220 °C (th. 7–8), puis faites cuire la tarte aux crabes 25 à 30 minutes à 160 °C (th. 5).

POISSONS

Les Antilles, c'est avant tout la mer : tropicale, chaude et peuplée d'une multitude de poissons. On y différencie les poissons blancs et les poissons rouges, généralement plus chers et plus nobles, de meilleure conservation et qui ont une saveur plus recherchée (voir Lexique). On aura soin de se renseigner auprès des pêcheurs car les mêmes poissons, comestibles dans certaines îles, ne le sont pas dans d'autres. En effet, leur alimentation (algues ou plancton) n'est pas toujours la même et peut les rendre toxiques. Le capitaine, la sarde et la carangue se dégusteront, par exemple, à la Martinique mais non en Guadeloupe.

COMMENT CHOISIR LE POISSON ?

L'œil doit être brillant, les ouïes rouges, fermes au toucher, les écailles bien attachées et l'odeur agréable.

COMMENT ASSAISONNER LE POISSON ?

Quelle que soit la recette choisie, votre poisson doit être obligatoirement « assaisonné ». Il doit être écaillé, vidé, lavé dans une eau savonneuse (si vous voulez le faire selon la pratique antillaise) et rincé abondamment. Frottez l'intérieur du poisson avec ½ citron vert. Faites-le mariner avec l'assaisonnement suivant : ail écrasé, sel, poivre, bois d'Inde en feuilles et en graines moulues, piment haché, jus de citrons verts en abondance, et un peu d'eau si le poisson est épais et qu'il n'est pas entièrement recouvert par l'assaisonnement. Le poisson doit macérer une bonne heure et être retourné de temps à autre. Si le poisson est gros, incisez-le pour que l'assaisonnement pénètre bien la chair.

ASTUCE il est préférable de servir du piment sur une assiette à part avec quelques citrons verts afin que chaque convive rectifie l'assaisonnement à son goût. Si vous trouvez le plat trop pimenté, atténuez la brûlure avec de la banane, de l'avocat coupé en tranches ou encore de la mie de pain. En Métropole, on utilisera certaines poissons courants comme la daurade, le cabillaud, le lieu noir, le mulet, le thon, le chinchard (coulirou), le maquereau (proche du balarou) et cuisinez-les à l'antillaise. Préparez de préférence en « blaff » les poissons blancs comme le maquereau, le lieu noir, le cabillaud, le mulet, le chinchard, la daurade à peau grise ; en court-bouillon les poissons rouges comme la rascasse, le rouget (métropolitain), la daurade à peau rose, le mérou…

QUELLES SONT LES DIFFÉRENTES FAÇONS DE CUIRE CES POISSONS ?

LE BLAFF

Pour 4 personnes
Préparation : 15 minutes
Cuisson : 5 à 10 minutes
Marinade : 1 à 2 heures

Le poisson qui tombe dans l'eau bouillante fait « blaff » ! C'est la préparation la plus simple et la plus naturelle pour le poisson : elle se rapproche d'un « court-bouillon–France » ou d'un poisson « au bleu ».

600 g de poissons * 1,5 litre d'eau * 1 oignon–France * 2 gousses d'ail * 1 bouquet garni (thym, oignons–pays, persil) * 2 feuilles de bois d'Inde * 3 citrons verts

Marinade
2 feuilles et 3 graines de bois d'Inde * 1 gousse d'ail * 1 piment * 3 citrons verts * sel * poivre

Pour le blaff, on utilise des poissons de petites tailles (balarous, macrios, etc., et en Métropole harengs frais, maquereaux) ou un poisson plus important coupé en morceaux (thon, tazard, ou encore en Métropole, mulet, cabillaud, chinchard, daurade à peau grise). Faites–les mariner pendant 1 à 2 heures dans l'assaisonnement traditionnel (sel, poivre, ail écrasé, feuilles et graines de bois d'Inde, piment et jus de citrons verts) et préparez le blaff avec 1,5 litre d'eau, l'oignon coupé en lamelles, l'ail pilé, le bouquet garni, quelques graines écrasées et quelques feuilles de bois d'Inde, du sel et du poivre.
Plongez les poissons égouttés dans l'eau frémissante du blaff. Dès que l'eau bout, les petits poissons sont cuits ; les morceaux de gros poissons seront laissés 5 à 10 minutes à feu doux après l'ébullition. Vérifiez la cuisson à l'aide d'une pointe de couteau. Servez les poissons baignés de leur eau de cuisson et versez le jus des citrons verts. Vous pouvez les accompagner de bananes mûres ou de tranches d'avocats. Chaque convive ajoutera selon son goût, citron et piment.

COURT-BOUILLON CRÉOLE

Pour 4 personnes
Préparation : 15 minutes
Cuisson : 25 minutes
Marinade : 1 à 2 heures

Le court-bouillon de France ressemble au blaff. Ce que l'on appelle « court-bouillon » aux Antilles est une recette bien particulière qui se fait généralement avec les poissons rouges. La tête et la queue un peu gélatineuses de certains poissons sont des morceaux de choix pour les connaisseurs. Manger une tête de capitaine en « court-bouillon » en ne laissant que les « os » (arêtes) est tout un art !

600 g à 800 g de poissons *
3 cuillerées à soupe d'huile *
1 oignon–France * 2 tomates *
1 bouquet garni (thym,
oignons–pays, persil) * 25 cl d'eau *
1 gousse d'ail * 1 citron vert

Marinade
1 gousse d'ail * bois d'Inde
(2 feuilles ou 3 graines) * 2 citrons
verts * 1 piment (facultatif) * sel *
poivre

Faites mariner pendant 1 heure les poissons dans du sel, du poivre, de l'ail écrasé, du piment, des feuilles ou des graines de bois d'Inde moulues, du jus de citrons verts et un peu d'eau.

Faites revenir dans l'huile l'oignon émincé, les tomates pelées et épépinées et le bouquet garni. Quand le tout est bien coloré, mouillez avec 1 bol d'eau et ajoutez 1 gousse d'ail. Portez à ébullition et plongez le poisson égoutté. Laissez mijoter 10 à 20 minutes suivant l'épaisseur du poisson. Servez chaud avec le jus de cuisson agrémenté du jus de citron et du piment. Si la préparation vous semble fade, vous pouvez incorporer un « cera » en mélangeant de l'ail, du sel, du poivre, du citron vert et de l'huile. Si vous désirez un court-bouillon plus épais, utilisez de la tomate fraîche et du concentré.

Aux Antilles, vous utiliserez la sarde, la sorbe, le juif, le capitaine, la vermeil, etc. ; en Métropole, la daurade à peau rose, la rascasse, le mérou, les rougets, etc.

Le court-bouillon s'accompagne généralement de légumes du pays nature comme des bananes jaunes, de l'igname, du chou Dachine, sans oublier 1 avocat coupé en tranches pour adoucir un peu.

TOUFFÉE DE TITIRIS OU DE PISQUETTES

Pour 4 personnes
Préparation : 20 minutes
Cuisson : 15 minutes
Marinade : 2 heures

On utilise le mot « touffée » pour le poisson cuit à l'étouffée, c'est–à–dire qui mijote à feu doux dans une marmite couverte.

800 g de titiris ou de pisquettes
(ou de civelles en métropole) *
3 cuillerées à soupe d'huile *
1 oignon–France * 2 échalotes *
3 tomates * 1 bouquet garni
(thym, oignons–pays, persil) *
piment * 1 gousse d'ail *
1 citron vert * persil * sel * poivre

Marinade
ail * piment * bois d'Inde
(2 feuilles ou 3 graines écrasées) *
2 citrons verts * sel * poivre

Faites mariner les titiris ou les pisquettes bien lavés avec l'ail, le piment, le bois d'Inde, du sel, du poivre, le jus des citrons verts et un peu d'eau pendant 1 heure. Au fond d'une marmite, faites roussir avec de l'huile, l'oignon émincé, les échalotes hachées, les tomates pelées et épépinées et le bouquet garni. Salez et poivrez. Ajoutez une pointe de piment, l'ail ainsi que les titiris ou les pisquettes égouttés. Couvrez et laissez cuire 10 minutes, en secouant de temps en temps pour que la touffée n'attache pas. Servez chaud, avec le jus d'un citron vert et un hachis de persil. En métropole, les titiris peuvent être remplacés par des civelles.

TOUFFÉE DE REQUIN OU REQUIN À L'ÉTOUFFÉE

Pour 4 personnes
Préparation : 20 minutes
Cuisson : 25 minutes
Marinade : 2 heures

600 g de requin *
3 cuillerées à soupe d'huile *
1 oignon–France * 2 échalotes *
1 bouquet garni (thym,
oignons–pays, persil) *
3 tomates * piment * 1 gousse
d'ail * 1 citron vert * persil * sel *
poivre

Marinade
ail * piment * bois d'Inde
(feuilles ou graines) * 2 citrons
verts * sel * poivre

Faites mariner les morceaux de requin avec l'assaisonnement habituel pendant 1 heure. Au fond du plat de cuisson, faites revenir dans l'huile l'oignon et les échalotes émincées, le bouquet garni, les tomates pelées et épépinées. Salez, poivrez et pimentez. Ajoutez la gousse d'ail.
Sortez les morceaux de requin de la marinade et faites–les suer pour leur faire rendre l'eau. Laissez–les cuire 20 minutes tout doucement et servez chaud avec le jus du citron et le persil haché.

DAUBE DE POISSONS

On appelle « daube de poissons » un poisson assaisonné, frit à l'huile, que l'on prépare ensuite à la façon d'un court bouillon créole.

Pour 4 personnes
Préparation : 20 minutes
Cuisson : 35 minutes
Marinade : 1 heure

4 belles tranches de thon *
100 g de farine * 3 cuillerées
à soupe d'huile * 3 tomates *
2 oignons—France * 1 bouquet
garni (thym, oignons—pays,
persil) * 1 gousse d'ail * 1 bol
d'eau * 1 piment (facultatif) *
quelques pincées de farine
de manioc (facultatif)

Marinade
ail * piment * bois d'Inde
(2 feuilles ou 3 graines) *
2 citrons verts * sel * poivre

Assaisonnez le poisson 1 heure à l'avance et laissez—le mariner. Égouttez—le, séchez—le, farinez—le et faites—le frire à l'huile bien chaude pendant 15 minutes. Préparez un « fond » de court—bouillon avec les tomates pelées et épépines, les oignons émincés, le bouquet garni, la gousse d'ail, le tout bien revenu dans l'huile. Ajoutez un bol d'eau et laissez mijoter 10 minutes avec le poisson. Salez et poivrez. Si la sauce est trop liquide, ajoutez 1 cuillerée de farine. Si vous voulez relever la sauce, ajoutez un morceau de piment. Ajoutez quelques pincées de farine de manioc. Accompagnez la daube de haricots rouges, de riz « debout » (pas trop cuit) ou de légumes locaux (ignames, fruit à pain…). Utilisez surtout du thon pour ce plat, mais vous pouvez le faire avec d'autres poissons.

POISSONS GRILLÉS BARBECUE

Généralement, on met à griller au barbecue, soit un gros poisson commele vivaneau, le grand Z'yeux, la vermeil, la carangue, soit des poissons plus petits comme
les sardes, les balarous (environ 2 à 3 par personne), les gorettes, etc. Comme
à l'accoutumée, le poisson doit tremper pendant 1 heure dans un assaisonnement composé d'ail, de piment, de sel, de poivre,de bois d'Inde, d'un peu d'eau
et d'une bonne quantité de jus de citrons verts.Allumez le barbecue et lorsque
les braises sont prêtes, faites cuire le poissonentre deux grilles quelques minutes
avant de passer à table car il ne doit pasattendre. Le poisson barbecue sera ainsi
très moelleux. Le temps de cuissondépendra, bien entendu, de l'épaisseur des
poissons. Gardez l'eau d'assaisonnement du poisson, additionnée de 2 cuillerées
à soupe d'huile pour arroser en cours de cuisson. Retournez le poisson à mi-
cuisson. Lorsqu'il est cuit à point, frottez les grilles à l'aide d'un citron vert pour
décoller la peau du poisson sans l'abîmer.

Vous pouvez également ne pas assaisonner le poisson pour le faire griller au
barbecue. Ne l'écaillez pas (ainsi une fois cuit, il se retirera plus facilement
de la grille et n'attachera pas). Videz–le (si le poisson est gros), citronnez l'intérieur et badigeonnez–le d'huile. Faites–le cuire à feu doux sur la braise à 10 cm
environ au–dessus du foyer. Retournez–le à mi–cuisson.

On sert toujours, aux Antilles, le poisson barbecue avec un « sauce chien » composée de 2 échalotes, 5 oignons–pays hachés, du piment (que l'on retire avant de
servir), le jus de 2 citrons verts, 1 cuillerée à soupe d'huile, du sel, du poivre et
1 verre d'eau bouillante. Si vous désirez une sauce chien plus élaborée, incorporez 1 œuf dur écrasé, un hachis de persil et quelques câpres.

Vous servirez, si vous préférez, le poisson barbecue avec un « beurre–citron »
bien chaud (125 g de beurre fondu, un hachis de persil, le jus de 2 citrons verts,
du sel et du poivre).

POISSONS FRITS

On peut faire frire de petits poissons comme le balarou, le barbarin (rouget), le maquereau, le macrio, etc ; ou un gros poisson coupé en tranches fines ou en cubes comme la vermeil, la bonite, le thon, le tazard…

Assaisonnez les poissons avec l'ail, du sel, du poivre, le bois d'Inde, le piment, les citrons verts et l'eau. Essuyez–les, farinez–les et faites–les cuire dans un bain d'huile bien chaude. Un poisson bien assaisonné, qui a mariné 1 à 2 heures avec suffisamment de sel et de citron, peut être servi tout chaud tel quel.

POISSONS MARINÉS

Sur les poissons frits, chauds de préférence, versez une vinaigrette relevée d'ail écrasé, d'oignons–pays et d'échalotes hachés finement. Accompagnez d'avocats en tranches ou d'une salade verte. Servez tiède ou froid, pour le dîner ou comme aux Antilles, au petit–déjeuner !

COURT-BOUILLON DE MORUE

Pour 4 personnes
Préparation : 25 minutes
Cuisson : 30 minutes
Dessalage : 12 heures

Aux Antilles, on utilise la morue salée et séchée maison, mais on peut aussi avoir recours aux filets.

400 g de morue *
1 oignon–France *
1 bouquet garni (thym,
oignons–pays, persil)
bois d'Inde (2 feuilles ou
3 graines écrasées ou
2 pincées de poudre) *
1 piment * 2 tomates *
1 bol d'eau * 1 gousse d'ail *
sel * poivre

Faites dessaler la morue à l'eau froide pendant 12 heures. Si vous êtes pris de court, faites–la blanchir en changeant l'eau 2 à 3 fois. Faites-la pocher 20 minutes. Retirez soigneusement la peau et les arêtes. Faites revenir un fond de court–bouillon avec l'oignon, le bouquet garni, le bois d'inde, le piment, les tomates pelées et épépinées. Ajoutez un bol d'eau, 1 gousse d'ail, un peu de sel et du poivre. Lorsque le tout est bien revenu, ajoutez la morue et laissez cuire 10 minutes environ.

Servez avec tout le jus de cuisson en ayant retiré le bouquet garni et les feuilles de bois d'Inde. Accompagnez de riz ou de légumes-pays (chou Dachine, igname, 1 tranche d'avocat ou 1 banane).

CRASÉ-MORUE

Pour 4 personnes
Préparation : 30 minutes
Cuisson : 30 minutes
Dessalage : 12 heures

C'est la déformation, en créole, de la morue écrasée avec d'autres ingrédients.

400 g de morue séchée
et salée * 4 œufs * 3 cuillerées
à soupe d'huile * 2 oignons—France *
1 cuillerée à soupe de vinaigre *
piment * 8 ti—nains (bananes vertes
et fermes) * 1 citron vert *
4 beaux carrés de fruit à pain
(ou tout autre légume—pays : chou
Dachine…) * 1 avocat coupé en
tranches ou 2 bananes jaunes
cuites * 4 carrés de giraumon
(facultatif)

Faites dessaler la morue coupée en dés
et faites—la cuire 20 minutes dans une
bonne quantité d'eau. Retirez la peau et
les arêtes. Faites durcir les œufs. Éca-
lez—les et coupez—les en deux. Versez
les oignons coupés en fines rondelles,
crus ou fondus à la poêle dans un peu
d'huile, sur les œufs et la morue. Ajoutez
un filet de vinaigre.
Faites cuire les légumes. Pour éplucher
les bananes ti—nains, enduisez—vous
les mains d'huile afin que leur gomme ne
s'y colle pas. Faites—les cuire 10 minutes
dans l'eau salée avec un jus de citron vert
et servez—les avec leur eau de cuisson.
Les jeunes ti—nains préparés ainsi gardent une chair blanche.
Choisissez un petit fruit à pain, enlevez une
peau épaisse qui servira à couvrir le légume au cours de sa cuisson. Ôtez le cœur
et coupez le fruit à pain en dés. Faites—les
cuire dans l'eau salée 15 minutes.
Servez séparément la morue et les œufs
dans leur sauce, le plat de légumes,
quelques tranches d'avocat ou de bananes jaunes (c'est une variété particulière
qui ne se consomme que cuite). Chaque
convive fera lui—même son « crasé-
morue » en écrasant tous les ingrédients
dans son assiette et rectifiera l'assaisonnement à son goût avec de l'huile, du vinaigre,
et du piment que vous servirez à table.

BÉCHAMEL DE MORUE

Pour 4 personnes
Préparation : 30 minutes
Cuisson : 1 h 50
Dessalage : 12 heures

400 g de morue séchée
et salée (ou en filets) *
2 oignons–France *
30 g de beurre * 2 cuillerées
à soupe de farine *
25 cl de lait * 2 bouquets garnis
(thym, oignons–pays,
persil) * 4 pommes de terre *
1 gousse d'ail * 250 g de lentilles *
graines de chou dur coupées
en dés (facultatif) * piment *
huile * vinaigre * sel * poivre

Dessalez la morue coupée en dés et faites-la pocher 20 minutes. Retirez la peau et les arêtes. Faites fondre les oignons coupés finement dans le beurre, remuez à l'aide d'une cuillère en bois, saupoudrez de farine et mouillez avec le lait. Ajoutez un bouquet garni, salez, poivrez et laissez cuire 3 à 4 minutes. La béchamel doit être épaisse. Faites cuire les pommes de terre avec la peau. Épluchez-les, coupez-les en rondelles, incorporez-les à la béchamel ainsi que la morue effeuillée en petits morceaux et la gousse d'ail écrasés. Faites cuire les lentilles bien nettoyées pendant 1 h 30 avec 1 bouquet garni et quelques morceaux de graines de chou dur. Les lentilles doivent « crever ». Aux Antilles, on les mange très cuites, la peau éclatée. Servez à part les lentilles, la béchamel de morue et présentez avec du piment. Arrosez le tout d'huile et de vinaigre.

GRATIN DE MORUE

Pour 4 personnes
Préparation : 25 minutes
Cuisson : 45 minutes
Dessalage : 12 heures

400 g de morue séchée
(ou en filets) * 1 oignon–France *
2 cuillerées à soupe d'huile *
20 g de beurre *
1 cuillerée à soupe de farine *
1 verre de lait * 1 bouquet garni
(thym, oignons–pays, persil) *
1 gousse d'ail *
100 g de gruyère râpé *
30 g de chapelure * sel * poivre

Dessalez la morue puis pochez-la 20 minutes. Épluchez-la en enlevant la peau et les arêtes. Faites une béchamel très légère avec l'oignon haché revenu dans l'huile et mouillez avec le lait. Ajoutez le bouquet garni, du sel, du poivre, l'ail écrasé et la morue effeuillée. Mettez dans un plat à gratin la préparation mélangée au gruyère râpé. Saupoudrez de chapelure et faites dorer au four avec quelques noisettes de beurre 10 minutes environ.

MACADAM DE MORUE

Pour 4 personnes
Préparation : 20 minutes
Cuisson : 30 minutes
Dessalage : 12 heures

400 g de morue séchée *
4 cuillerées à soupe d'huile *
1 oignon–France * 3 tomates *
1 bouquet garni (thym,
oignons–pays, persil) *
2 feuilles et 4 graines de bois
d'Inde * 1 piment * 1 bol d'eau *
2 gousses d'ail * 1 cuillerée
à café de farine * 1 citron vert *
sel * poivre

Riz en pâte
4 cuillerées à soupe de riz non
traité * 75 cl d'eau * 3 cives
ou oignons–pays * 1 pointe
de curry (facultatif) *
4 bananes–dessert

Dessalez bien la morue et faites–la pocher 15 minutes. Retirez la peau et les arêtes. Faites revenir dans de l'huile, l'oignon, les tomates pelées et épépinées, le bouquet garni et le bois d'Inde. Salez, poivrez et pimentez. Ajoutez un bol d'eau chaude et 1 gousse d'ail. Incorporez la morue et laissez cuire doucement 15 minutes, en liant la sauce avec 1 cuillerée à café de farine. Au moment de servir, agrémentez du jus d'un citron mélangé à 1 cuillerée d'huile et à 1 gousse d'ail râpée. Le macadam se sert avec un riz en pâte et des tranches de bananes–dessert.
Pour le riz en pâte : lavez bien le riz et mettez-le à cuire dans 75 cl d'eau froide et salée avec les oignons–pays, le curry et le thym. Laissez cuire jusqu'à évaporation complète de l'eau. On obtient de cette façon le « riz en pâte » que l'on déguste en le coupant à la fourchette et au couteau. Mélangez le macadam de morue au riz en pâte dans l'assiette et disposez les bananes coupées en rondelles sur le dessus. Vous pouvez également servir le macadam de morue avec un rougail de tomates. Hachez 3 tomates pelées, 2 oignons–pays, 2 échalotes, 2 gousses d'ail et ½ piment. Salez et poivrez. Ajoutez également 1 cuillerée à soupe de sucre fondu dans le jus d'un citron vert et laissez macérer le tout pendant 2 heures au frais. Rectifiez l'assaisonnement selon vos goûts.

TARTARE DE THON OU DE MARLIN

Pour 4 personnes
Préparation : 10 minutes
Marinade : 2 heures

200 g de thon ou marlin (espadon) * 2 tomates * 2 oignons–pays * 2 citrons verts * 10 baies roses * 2 gousses d'ail * ciboulette * aneth * 3 cuillerées à soupe d'huile d'olive * 1 piment (facultatif) * sel * poivre

Coupez en petits dés très fins le thon ou le marlin, les tomates pelées, épépinées et les oignons–pays. Arrosez le tout du jus des citrons, salez en bonne quantité et poivrez. Incorporez les baies roses, l'ail écrasé, la ciboulette et l'aneth ciselées finement puis terminez par l'huile d'olive. Laissez mariner 2 heures environ. Servez bien frais accompagné de pain de campagne grillé et de piment si vous le désirez.

TREMPAGE

Pour 4 personnes
Préparation : 25 minutes
Cuisson : 30 minutes
Dessalage : 12 heures

Le trempage peut se servir sur une feuille de bananier. Il se fait générale-ment avec de jeunes requins, de la morue, de la raie ou même de la langouste. Cette préparation, à base de pain rassis trempé, se mange avec les doigts et s'accompagne de nombreux punchs et de « milans » (ragots créoles !).

400 g de morue séchée (ou en filets) * 2 cuillerées à soupe d'huile * 3 tomates * 1 bouquet garni (thym, oignons-pays, persil) * 1 oignon * 1 clou de girofle * bois d'Inde (2 feuilles ou 4 graines) * 1 verre de vin blanc * 1 verre d'eau * ½ ou 1 piment (selon sa force) * 200 g de pain trempé dans l'eau * 4 bananes-dessert * sel * poivre

Faites dessaler la morue et faites-la pocher dans l'eau 20 minutes. Épluchez-la, enlevez la peau et les « os » (arêtes) et incorporez-la aux tomates revenues dans l'huile avec le bouquet garni, l'oignon, le clou de girofle et le bois d'Inde. Mouillez avec le vin blanc et l'eau. Ajoutez le piment coupé finement, sa-lez et poivrez. Déposez au fond du plat, en fines couches successives, le pain trempé et bien pressé, la morue arrosée de son jus et terminez par les bananes-dessert coupées en rondelles.

TAZARD AU LAIT DE COCO OU POISSON CRU DES ÎLES

Pour 4 personnes
Préparation : 45 minutes
Marinade : 2 heures

800 g de tazard ou poisson à chair blanche et ferme * 4 citrons verts * 1 oignon-France * 1 coco sec * 2 œufs durs * 2 tomates * noix de muscade râpée * hachis de persil * sel

Prélevez les filets du poisson et coupez-les en dés de 2 cm. Laissez-les macérer 2 heures minimum dans le jus des citrons verts, avec l'oignon coupé en rondelles et du sel. Pendant ce temps, préparez le lait de coco en râpant la pulpe d'un coco avec une « grage » (râpe) puis pressez-la fortement dans un linge pour en extraire le lait. Vous pouvez aussi utiliser une centrifugeuse ou du lait de coco déjà préparé. Disposez les mor-ceaux de poisson avec le jus de la marinade. Versez le lait de coco et décorez de tomates et d'œufs durs en rondelles. Parsemez d'un hachis de persil et de noix de muscade râpée en petite quantité.

COLOMBO DE POISSON

Pour 4 personnes
Préparation : 40 minutes
Cuisson : 40 minutes

Il peut se faire soit avec du thon, du marlin (espadon) ou du mérou. Choisissez de préférence un poisson à chair ferme et le temps de cuisson dépendra du poisson choisi.

1 tranche de 150 g de poisson par personne (pour le thon, choisissez—le bien rouge) *
2 oignons—France *
4 oignons—pays * 2 feuilles de bois d'Inde * 4 clous de girofle * thym * 1 feuille de laurier * 150 g de pâte de colombo ou 1 cuillerée à soupe de poudre de colombo et 1 cuillerée à soupe de poudre de curcuma * 1 verre d'eau * 2 carottes * 1 belle cristophine * 1 concombre ou 8 massicis * 2 pommes de terre * 1 piment * sel * poivre

Marinade
2 gousses d'ail * ½ piment * 3 citrons verts * 3 graines de bois d'Inde

Faites tremper le poisson pendant 2 heures environ avec les ingrédients de la marinade. Faites revenir dans une sauteuse les oignons—France et les oignons—pays jusqu'à coloration. Ajoutez les bois d'Inde écrasé, les clous de girofle, le thym émietté, le laurier, du sel, du poivre et la pâte à colombo.
Mouillez avec 1 verre d'eau. Incorporez les légumes épluchés et coupés en julienne en commençant par les carottes et la cristophine, puis le concombre ou les massicis. Terminez par les pommes de terre 20 minutes avant la fin de la cuisson. Vous pouvez ajouter 1 piment entier pendant la cuisson des légumes en prenant soin de ne pas le faire éclater. Posez ensuite le poisson sur le colombo et couvrez—le. Pour le mérou, il ne faut que 10 minutes. Servez avec un riz debout.

VIANDES

BIFTECK VINAIGRETTE

Pour 4 personnes
Préparation : 5 minutes
Cuisson : 5 minutes

600 g de bavettes * 4 cuillerées à soupe d'huile * 1 cuillerée à soupe de vinaigre de vin * 1 gousse d'ail * 1 échalote * sel * poivre

Saisissez les biftecks à poêle ou au gril et faites-les cuire à votre goût. Accompagnez-les de la vinaigrette suivante : ail et échalote écrasés, huile, vinaigre, sel et poivre. Le bifteck vinaigrette se sert avec des légumes-pays cuits nature (ignames, chou Dachine, couscouche…) que l'on écrase à l'aide d'une fourchette dans l'assiette et que l'on arrose de vinaigrette.

FOIE SAUTÉ

Pour 4 personnes
Préparation : 10 minutes
Cuisson : 10 minutes
Marinade : 30 minutes

400 g en un seul morceau de foie de bœuf, de veau ou de porc * 2 gousses d'ail * thym * 1 cuillerée à soupe de vinaigre de vin * 3 cuillerées à soupe d'huile * 1 oignon-France * 1 cuillerée à soupe de farine * ½ verre de vin rouge * 1 piment * persil * sel * poivre

Découpez le foie en dés de 3 cm d'épaisseur environ, en ayant soin de le dénerver. Faites-le mariner 30 minutes avec du poivre (surtout pas de sel), 1 gousse d'ail, le thym, le vinaigre et l'huile. Couvrez et retournez les morceaux de temps en temps pour que le foie soit bien imprégné de la marinade. Faites revenir à la poêle l'oignon en lamelles avec de l'huile. Versez les morceaux de foie avec leur marinade. Remuez à l'aide d'une cuillère en bois. Saupoudrez de farine et mouillez avec le vin rouge. Salez et poivrez. Au dernier moment, écrasez 1 gousse d'ail. Ne laissez pas cuire trop longtemps, sinon le foie serait dur.
Servez, si vous le désirez, avec un piment, une persillade et accompagnez d'un riz « debout » (dont les grains se détachent).

TRIPES
« RACCOMMODÉES »

Pour 4 personnes
Préparation : 35 minutes
Cuisson : 1 h 30

C'est la façon créole d'accommoder les tripes.

1 kg de morceaux divers
de tripes (caillette, feuillette,
etc.) * 3 citrons verts *
4 carottes * 4 pommes de
terre * 2 cuillerées à soupe
d'huile * 1 oignon-France *
2 tomates * 1 bouquet garni
(thym, oignons-pays, persil) *
1 piment * 1 verre de vin blanc *
1 gousse d'ail * sel * poivre

Nettoyez bien les tripes sous l'eau froide, en grattant à l'aide d'un couteau la graisse. Frottez-les abondamment au citron. Coupez-les en morceaux et faites-les bouillir dans de l'eau salée pendant 1 heure. Faites cuire à part les pommes de terre et les carottes.

Préparez une sauce : faites revenir dans l'huile, l'oignon émincé, les tomates pelées et épépinées avec le bouquet garni et le piment qui ne doit pas éclater. Salez modérément, poivrez et mouillez avec un bol de bouillon ayant servi à cuire les tripes. Incorporez les tripes, les pommes de terre et les carottes coupées en morceaux et laissez mijoter doucement 30 minutes. Quelques minutes avant la fin de la cuisson, ajoutez le vin blanc et l'ail écrasé. On sert généralement les « tripes raccommodées » avec des ti-nains présentées dans leur eau de cuisson. À la façon créole, écrasez les ti-nains dans la sauce des tripes.

RAGOÛT DE COCHON

Pour 4 personnes
Préparation : 20 minutes
Cuisson : 1 heure

Le porc, qu'il soit sur pied ou cuit, est appelé « cochon » aux Antilles. Le ragoût de cochon, accompagné de pois d'Angole, précédé de pâtés de cochon et boudin créole, constitue le repas traditionnel de Noël. (Pour la recette des pâtés de cochon et du boudin créole, voir la rubrique des Amuse-gueule.)

700 g d'échine de porc
en morceaux * 2 cuillerées à
soupe d'huile * 2 gousses d'ail *
2 feuilles ou 4 graines de bois
d'Inde * 2 citrons verts *
2 oignons-France * 1 bouquet
garni (thym, oignons-pays,
persil) * 2 feuilles de laurier *
1 piment * sel * poivre

Faites revenir les morceaux de cochon dans l'huile. Saupoudrez de poivre, d'ail et de bois d'Inde pilés finement. Arrosez d'un jus de citron vert. Salez et incorporez les oignons coupés en fines lamelles. Faites-les roussir. Faites cuire 1 heure à feu doux environ et laissez évaporer l'eau. Quelques minutes avant la fin de la cuisson, incorporez 1 gousse d'ail écrasée et le jus d'un citron vert.

Le ragoût de cochon s'accompagne de haricots rouges ou blancs (cuits à la créole), d'ignames ou de choux, de pois d'Angole ou de riz.

RÔTI DE PORC FARCI

Pour 4 personnes
Préparation : 25 minutes
Cuisson : 1 h 30

1 rôti de porc d'1 kg environ *
300 g de boudin créole *
3 gousses d'ail * bois d'Inde
(2 feuilles et 3 graines) *
20 g de beurre * 3 cuillerées
à soupe d'huile *
1 oignon—France * thym *
1 verre de vin blanc * 1 verre
à liqueur de rhum vieux * sel *
poivre

Ouvrez le rôti dans le sens de la longueur et garnissez—le du boudin sorti de sa peau. Refermez le rôti et ficelez—le, afin que la farce ne sorte pas. Piquez—le de gousses d'ail écrasées mélangées avec du sel, du poivre et des graines de bois d'Inde moulues. Faites revenir le rôti dans une cocotte avec du beurre, de l'huile et l'oignon émincé. Salez et poivrez. Ajoutez du thym et 2 feuilles de bois d'Inde. Lorsque le rôti est coloré, versez le vin blanc et le rhum. Laissez mijoter 1 h 30. Servez le rôti coupé en tranches, accompagné de la sauce un peu réduite et de purée de légumes du pays.

RÔTI DE PORC CRÉOLE

Pour 4 à 6 personnes
Préparation : 10 minutes
Cuisson : 1 heure

Aux Antilles, on consomme le cochon local, appelé cochon « planche », parce que de petite taille et étroit. Une cuisse de cochon « planche » sera appréciée cuite entière avec sa peau.

1 cuisse de cochon « planche »
ou 1 kg de rôti de porc *
3 gousses d'ail * 3 graines
de bois d'Inde * 30 g de beurre *
sel * poivre

Piquez le rôti en plusieurs endroits avec les gousses d'ail écrasées, mélangées aux graines de bois d'Inde moulues, salées et poivrées.
Enfournez à 220 °C (th. 7–8) avec un peu de beurre pendant 1 heure. Servez avec une purée d'ignames blanches ou un gratin de cristophines.

JAMBON À LA CRÉOLE

Pour 8 à 10 personnes
Préparation : 25 minutes
Cuisson : 2 heures
Dessalage : 24 heures

Aux Antilles, au moment de Noël, le cochon est à l'honneur. Le jambon à la créole est un des plats traditionnels que l'on déguste généralement à cette période.

1 jambon salé de 2 kg * 1,5 litre
d'eau * 75 cl de vin blanc sec *
3 carottes * 1 oignon piqué de
2 clous de girofle * 2 branches
de thym * persil * 6 cuillerées
à soupe de sucre en poudre *
1 ananas frais (ou une boîte) *
30 g de beurre * poivre

La veille : faites dessaler le jambon à l'eau froide, renouvelée plusieurs fois pendant 24 heures.
Le jour même : faites-le cuire dans un faitout avec le vin blanc, les carottes, l'oignon, le thym, le persil et du poivre. Vérifiez la cuisson avec la pointe d'un couteau au bout d'1 h 30. Égouttez-le, retirez la couenne mais non le gras, saupoudrez-le de sucre et du jus de l'ananas frais ou en boîte. Mettez-le à four chaud au gril en le retournant afin que le jambon se caramélise. Présentez le jambon, coupé en tranches et reconstitué, entouré des rondelles d'ananas poêlées avec un peu de beurre et de sucre.

Autrefois, pour « glacer » le jambon, on utilisait des fers à repasser bien chauds que l'on appliquait sur le sucre au travers d'un papier fin.

ASTUCE : pour simplifier, vous pouvez préparez un caramel en faisant fondre le sucre en poudre avec une cuillère en bois et versez-le sur le jambon.

CÔTELETTES DE COCHON GRILLÉES SAUCE CHIEN

8 côtelettes de cochon
« planche » ou 4 côtes de porc *
2 cuillerées à soupe d'huile *
2 citrons verts * 2 gousses d'ail *
2 feuilles et 2 graines de bois
d'Inde * sel * poivre

Sauce chien
2 citrons verts * 2 échalotes *
2 oignons–pays ou cives *
persil * 1 piment doux *
1 cuillerée à soupe d'huile *
1 verre d'eau * sel * poivre

Pour 4 personnes
Préparation : 15 minutes
Cuisson : 10 à 20 minutes
Marinade : 1 heure

Parez les côtelettes en détachant la viande de l'os et en la retroussant sur la noix. Faites mariner les côtelettes dans l'huile, le jus des citrons verts avec l'ail écrasé, du sel, du poivre, les graines de bois d'Inde moulues ainsi que quelques feuilles pendant 1 heure environ. Préparez un barbecue au charbon de bois et faites griller les côtelettes sur la braise (ou à défaut sous le gril du four) 5 à 10 minutes de chaque côté.

Préparez une sauce chien avec le jus des citrons verts, les échalotes, le persil et les oignons–pays émincés, le piment doux coupé finement, du sel, du poivre, 1 cuillerée à soupe d'huile et 1 verre d'eau bouillante. Présentez les côtelettes arrosées de la sauce chien. Servez avec une purée de légumes–pays ou des bananes jaunes.

DAUBE DE PORC AU CURRY

700 g d'échine de porc coupée
en morceaux * 2 cuillerées
à soupe d'huile * 20 g de beurre *
1 oignon–France * 2 échalotes *
1 gousse d'ail * 1 bouquet garni
(thym, oignons–pays, persil) *
1 cuillerée à café de curry
en poudre * 2 cristophines *
2 aubergines * 2 tomates *
1 piment * sel * poivre

Pour 4 personnes
Préparation : 30 minutes
Cuisson : 1 h 15

Dans le beurre et l'huile, faites revenir le porc coupé en morceaux avec l'oignon et les échalotes. Lorsque la viande est dorée de toutes parts, couvrez avec un peu d'eau, ajoutez l'ail, le bouquet garni, la poudre de curry et laissez mijoter 30 minutes. Salez et poivrez. Incorporez les cristophines et les aubergines épluchées et coupées en dés, les tomates pelées et épépinées. Laissez réduire 30 minutes à feu doux. La sauce ne doit pas être trop abondante. Vous pouvez servir la daube de porc avec un « riz debout » (dont les grains se détachent).

MIGAN ET COCHON SALÉ

Pour 4 personnes
Préparation : 40 minutes
Cuisson : 30 à 35 minutes
Salaison : 48 heures
Dessalage : 4 à 5 heures

Le migan est une purée de légumes écrasés grossièrement au « bâton lélé ».

500 g de cochon salé (bas morceaux de cochon que l'on a salé soi-même, ou museau, oreilles et queue de cochon) * 100 g de gros sel * 4 graines et 2 feuilles de bois d'Inde * 1 litre d'eau * 1 bouquet garni (thym, oignons-pays, persil) * 3 citrons verts * 1 gousse d'ail * 1 fruit à pain * 2 oignons-pays

Chiquetaille de morue
200 g de morue salée *
3 cuillerées à soupe d'huile *
1 cuillerée à soupe de vinaigre *
1 piment * 3 échalotes *
2 oignons-pays * sel * poivre

2 jours à l'avance : salez par couches successives, avec 100 g de gros sel, les morceaux un peu gras du cochon en alternant une couche de cochon, une couche de sel, une couche de bois d'Inde (graines écrasées et feuilles). Mouillez avec un peu d'eau, couvrez et réservez 48 heures au frais.

Le jour même : faites dessaler le cochon quelques heures. Faites-le cuire dans 1 litre d'eau avec le bouquet garni, 1 jus de citron et l'ail écrasé 45 minutes. Épluchez le fruit à pain en retirant le cœur. Coupez-le en petits morceaux et faites-le cuire dans de l'eau salée avec 1 oignon émincé 30 minutes environ. Quand la cuisson est terminée, faites réduire le fruit à pain en purée, à l'aide du bâton lélé ou d'un fouet.

Servez séparément le cochon salé dans un peu de son eau de cuisson avec quelques oignons-pays et de l'ail hachés, un jus de citron vert, puis le migan, le tout accompagné d'une chiquetaille de morue (morue salée grillée et effeuillée dans une vinaigrette avec échalotes, oignons-pays et piment).

Chaque convive mélangera dans son assiette creuse le cochon salé, le migan et la chiquetaille de morue. Vous pouvez rectifier l'assaisonnement à votre goût avec du piment et du citron vert.

PIEDS DE PORC

Pour 4 personnes
Préparation : 25 minutes
Cuisson : 1 h 30

2 pieds de porc (de devant
de préférence) * 2 citrons verts *
2 bouquets garnis (thym,
oignons—pays, persil) *
2 cuillerées à soupe d'huile *
1 gros oignons—France *
2 tomates * 1 cuillerée à café
de bois d'Inde en poudre *
1 gousse d'ail * 1 piment * sel *
poivre

Nettoyez bien les pieds de porc coupés en tronçons et citronnez—les. Faites—les cuire dans l'eau
bouillante avec 1 bouquet garni 1 heure environ.
Faites revenir dans l'huile, l'oignon émincé, les
tomates pelées et épépinées avec l'autre bouquet
garni et le bois d'Inde. Mouillez avec un bol de jus
de cuisson et incorporez les pieds. Laissez mijoter
30 minutes. Salez et poivrez. Quelques minutes
avant la fin de la cuisson, ajoutez la gousse d'ail
pilée et pimentez à volonté.

COCHON DE LAIT FARCI GRILLÉ

Pour 10 personnes
Préparation : 40 minutes
Cuisson : 2 h 30

1 cochon de lait de 8 kg
environ * 4 citrons verts *
800 g de farce fine mélangée
avec le foie, le cœur,
les rognons du cochon *
300 g d'oignons—pays *
200 g d'oignons—France *
6 gousses d'ail * 2 piments *
3 feuilles de laurier * 3 feuilles
de bois d'Inde * 1,5 litre de vin
blanc sec * 1 verre de rhum
vieux * 2 cuillerées à soupe
d'huile * sel * poivre

Frottez abondamment le cochon de lait aux
citrons verts à l'intérieur comme à l'extérieur.
Salez et poivrez l'intérieur. Passez au hachoir
les abats. Mélangez—les à la farce avec les
oignons—pays, les oignons—France, l'ail et
les piments, le tout écrasé finement. Ajoutez
les feuilles de laurier, de bois d'Inde, 1 verre
de vin blanc, le rhum, du sel et du poivre.
Malaxez bien la farce. Remplissez l'intérieur du cochon avec la farce. Recousez—le,
badigeonnez—le d'huile et disposez—le sur la
grille du four. Faites—le cuire 2 h 30 à four
chaud à 220 °C (th. 7—8) en le mouillant fré-
quemment avec du vin blanc. Retournez—le
pour qu'il dore de tous les côtés. Si votre four
est muni d'un tournebroche, utilisez—le de
préférence.

COLOMBO DE MOUTON OU DE CABRI

Pour 4 personnes
Préparation : 35 minutes
Cuisson : 1 heure

Le curry indien s'appelle colombo aux Antilles (du nom de la capitale du Sri Lanka). Les premiers coolies le firent connaître dans les Îles où il fut très apprécié. On l'achète tout fait dans de petits sachets, mais on peut aussi le préparer soi-même au moulin à café. Mélangez en quantités égales 1 cuillerée à café des graines de coriandre, de cumin, de poivre noir, de moutarde, de curcuma, de safran, 1 noix de gingembre râpée et ½ à 2 piments, selon leur force. Moulez bien le tout.

1 kg d'épaule de mouton
en morceaux, ou de collier,
ou de souris de gigot *
2 oignons-France *
3 cuillerées à soupe de poudre
de colombo ou 150 g de pâte
à colombo (voir Lexique) *
3 graines de tamarin
(facultatif) * 1 bouquet garni
(thym, oignons-pays, persil) *
1 belle cristophine * 1 belle
courgette * 1 aubergine ou
bélangère * 2 pommes de terre *
2 gousses d'ail * 1 piment
(facultatif) * sel * poivre

Faites revenir les morceaux de mouton dans de l'huile avec les oignons émincés. Versez un peu d'eau puis la poudre ou la pâte de colombo. Ajoutez la chair qui entoure les graines de tamarin. Mélangez bien, salez et poivrez. Coupez la cristophine en dés, la courgette et l'aubergine en rondelles et les pommes de terre en deux. Quand la préparation bout, incorporez le bouquet garni et les légumes. Ajoutez les gousses d'ail écrasées et une pointe de piment. Couvrez et laissez mijoter à feu doux 1 bonne heure. Servez chaud avec un riz créole.

Le colombo peut également se faire avec du cabri ou de la chèvre sauvage à la saveur un peu plus forte. Vous pouvez aussi mélanger la viande de porc et de mouton. Aux Antilles, on réserve souvent le mouton pour les repas de fêtes. Vous pouvez les déguster jeune, en méchoui, en rôti ou en ragoût. Quant aux abats, on a coutume de les préparer en « pâté en pot » (voir la rubrique des Soupes).

MÉCHOUI DE MOUTON OU DE CABRI

Pour 10 à 15 personnes
Préparation : 45 minutes
Cuisson : 3 heures

1 jeune mouton ou 1 jeune cabri de 12 kg * 10 gousses d'ail * 10 graines de bois d'Inde * 8 branches de thym * 600 g d'oignons-pays * 250 g de beurre * huile à volonté * 2 gros oignons-France * 4 piments * 8 citrons verts * sel * poivre

Piquez généreusement le mouton ou le cabri de l'ail écrasé avec du sel, du poivre et les graines moulues de bois d'Inde. Garnissez l'intérieur de thym et d'oignons-pays en grande quantité. Salez et poivrez largement. Cousez le mouton ou le cabri et embrochez-la. Faites-la cuire au barbecue 3 heures environ. Le mouton doit se trouver à 60 cm environ au-dessus de la braise. Il faut le retourner sans cesse et l'arroser constamment avec le beurre fondu et l'huile agrémentée des oignons et du piment hachés, du jus des citrons verts, de 2 branches de thym émiettées. Salez et poivrez.
Lorsque le mouton ou le cabri est doré à point, la peau doit être croustillante et boursoufflée, dégustez-le avec les doigts.

CÔTELETTES PANÉES CRÉOLES

Pour 4 personnes
Préparation : 15 minutes
Cuisson : 10 minutes
Marinade (assaisonnement) : 1 heure

8 côtelettes de mouton ou de cabri * 3 citrons verts * 2 gousses d'ail * 4 oignons-pays * 3 cuillerées à soupe de farine * 3 œufs entiers * 2 cuillerées à soupe de lait * 200 g de chapelure * hachis de persil * 2 cuillerées d'huile * sel * poivre

Faites mariner les côtelettes 1 heure dans un jus de citron avec l'ail et les oignons-pays, du sel et du poivre. Séchez-les et passez chaque côté dans la farine, les œufs battus avec le lait et enfin dans la chapelure. Poêlez-les avec un peu d'huile à feu moyen. Servez les côtelettes décorées de rondelles de citrons et de persil.

GIBIERS ET VOLAILLES

CIVET DE MANICOU

Pour 4 personnes
Préparation : 1 heure
Cuisson : 1 heure à 1 h 30
Marinade : 24 heures

Le manicou est un petit mammifère que l'on attrape à la main, assez difficilement, ou à l'aide d'une nasse comparable à celle utilisée pour la pêche. On l'attire avec du corossol, de la mangue ou des bananes bien mûres. Ce « manicou » (appelé aussi opossum ou sarigue), de l'ordre des marsupiaux, a une poche sur le ventre pour porter ses petits.

1 jeune manicou * 1 litre de vin rouge de Bourgogne * 3 branches de thym * 3 branches de persil * 5 cives ou oignons-pays * 3 graines de bois d'Inde * 3 échalotes * 1 morceau de piment * noix de muscade * 3 cuillerées à soupe d'huile * 20 g de beurre * 2 cuillerées à soupe de farine * 1 cuillerée à soupe de vinaigre * 1 verre de rhum vieux * sel * poivre

La veille : dépecez le manicou. Videz-le et ôtez soigneusement les glandes qui se trouvent sous chaque patte, derrière les oreilles et autour du cou. Découpez-le en morceaux et faites-le mariner 24 heures dans 75 cl de vin rouge avec les cives, le thym, le persil, les échalotes hachées, les graines de bois d'Inde, la noix de muscade râpée (en petite quantité), le piment et du poivre. Ajoutez 1 cuillerée à soupe d'huile et de vinaigre.

Le jour même : essuyez les morceaux de manicou et faites-les revenir de tous côtés dans de l'huile et du beurre. Saupoudrez de farine et arrosez avec le reste du vin, le rhum et la marinade passée au chinois. Couvrez et laissez mijoter 1 heure à 1 h 30, après avoir rectifié l'assaisonnement en sel. Servez avec un riz créole.

PETITS OISEAUX À LA CRÉOLE

2 ortolans ou 1 tourterelle
ou 2 bécassines ou 2 cailles
par personne * 4 citrons verts *
6 graines de bois d'Inde *
4 gousses d'ail * 3 cuillerées
à soupe d'huile * 30 g de beurre *
8 petits oignons * 4 branches
de thym * 4 feuilles de laurier *
2 verres de vin blanc * sel *
poivre

Marinade
2 citrons verts * 2 verres
de rhum vieux

Préparation : 3 heures
Cuisson : 50 minutes
Marinade : 12 heures

La veille : plumez, videz et flambez les oiseaux. Frottez-les avec un citron à l'extérieur et à l'intérieur pour les parfumer et incorporez dans le corps de chaque oiseau 1 pincée de graine de bois d'Inde écrasé, de l'ail râpé, du sel et du poivre. Faites-les mariner quelques heures dans le jus de 2 citrons verts avec du rhum vieux.
Le jour même : dorez-les dans une cocotte avec du beurre et de l'huile, entourés de petits oignons, de thym et de laurier. Laissez mijoter 30 minutes à feu doux pour qu'ils soient bien cuits. Arrosez de la marinade passée au chinois et de la vapeur d'eau du couvercle.
Au dernier moment, lorsqu'ils sont bien colorés, ajoutez le vin blanc, 1 gousse d'ail écrasée, le jus d'un citron vert et rectifiez l'assaisonnement.

LAPIN AU RHUM VIEUX ET AUX PRUNEAUX

1 lapin coupé en morceaux *
50 cl de vin rouge * 1 carotte *
2 gros oignons—France *
3 cuillerées à soupe d'huile *
thym * laurier *
400 g de pruneaux * 1 citron
vert * quelques cuillerées
à soupe de rhum vieux *
30 g de beurre * 150 g de lardons *
1 bouquet garni—France * sel *
poivre

Pour 4 personnes
Préparation : 30 minutes
Cuisson : 45 minutes
Marinade : 24 heures

La veille : faites mariner le lapin 24 heures dans le vin rouge avec 1 carotte et 1 oignon coupés en rondelles, 1 cuillerée à soupe d'huile, du thym et du laurier. Retournez le lapin pour qu'il marine bien. Faites tremper les pruneaux pendant quelques heures dans de l'eau avec le zeste râpé d'un citron vert. Dénoyautez-les et faites-les mariner dans un peu de rhum vieux. Réservez l'eau des pruneaux.
Le jour même : faites rissoler dans du beurre et de l'huile les lardons et l'autre oignon coupé finement. Lorsqu'ils sont bien colorés, retirez-les et faites revenir les morceaux de lapin après les avoir égouttés. Quand le lapin est doré à point, saupoudrez-le de farine. Salez et poivrez. Mouillez avec l'eau des pruneaux. Ajoutez les lardons, les oignons et le bouquet garni. Laissez mijoter 45 minutes. 10 minutes avant la fin de la cuisson, ajoutez les pruneaux imbibés de rhum et 3 bonnes cuillerées à soupe de rhum vieux.

COMPOTE DE LAPIN AUX CONCOMBRES OU AUX MASSICIS

Pour 4 à 6 personnes
Préparation : 45 minutes
Cuisson : 1 h 30

1 lapin de 1,2 kg en morceaux ou 4 beaux râbles ou cuisses * 2 cuillerées à soupe d'huile d'olive * 1 oignon – France * 4 oignons – pays * 3 carottes * 25 cl de vinaigre de Xérès * 25 cl de vin blanc * 25 cl d'eau * 2 beaux concombres antillais (ou 1 de Métropole) ou 12 massicis * persil * 1 sachet de gelée * sel * poivre

Vinaigrette
1 cuillerée à soupe de vinaigre de Xérès * 2 cuillerées à soupe d'huile * estragon ou basilic * ciboulette * sel * poivre

La veille : faites revenir un à un les morceaux de lapin dans l'huile d'olive, puis réservez-les. Dans le plat de cuisson, faites dorer l'oignon – France, les oignons – pays coupés en lamelles et les carottes en rondelles. Mettez à nouveau les morceaux de lapin dans le plat de cuisson et mouillez avec le vinaigre de Xérès, le vin blanc et l'eau. Laissez cuire 1 h 30.
Pendant ce temps, épluchez les concombres en retirant les pépins et coupez-les en gros dés. Pour les massicis, grattez-les, coupez-les en quatre et retirez les graines. Prélevez 50 cl de jus de cuisson du lapin pour faire cuire les concombres ou les massicis pendant une quinzaine de minutes, jusqu'à ce qu'ils deviennent translucides. Lorsque le lapin est très cuit, émiettez-le entièrement et alternez dans le fond d'une terrine, une couche de carottes en rondelles, une couche de lapin, une couche de concombres. Continuez jusqu'à épuisement des ingrédients.
Dans le jus de cuisson frémissant du lapin et des concombres, jetez un sachet de gelée. Laissez cuire 3 à 4 minutes. Versez cette gelée sur votre terrine. Réservez au réfrigérateur.
Le jour même : démoulez la terrine et servez avec une vinaigrette au vinaigre de Xérès dans laquelle vous aurez coupé finement la ciboulette et l'estragon. À défaut, vous pouvez utiliser du basilic.

COLOMBO DE POULET

Pour 4 personnes
Préparation : 35 minutes
Cuisson : 50 minutes

1 poulet de 1 kg à 1,5 kg *
citrons verts * 20 g de beurre *
3 cuillerées à soupe d'huile *
1 oignon–France *
100 g de poudre de colombo
toute faite ou de la pâte fraîche
de colombo ou 4 cuillerées
à soupe de poudre de curry
(voir Lexique) * 1 bouquet garni
(thym, oignons–pays, persil) *
2 feuilles de bois d'Inde *
1 piment * 1 belle cristophine *
2 courgettes * 2 aubergines *
4 pommes de terre * 1 gousse
d'ail * sel * poivre

Citronnez abondamment et de toutes parts les morceaux de poulet. Faites–les revenir dans du beurre et de l'huile avec l'oignon émincé. Salez et poivrez. Lorsqu'ils sont colorés, ajoutez la poudre ou la pâte de colombo délayée dans un peu d'eau, le bouquet garni, les feuilles de bois d'Inde et le piment. Laissez cuire entre 45 minutes et 1 heure à feu doux, en incorporant la cristophine coupée en dés, les courgettes et les aubergines en rondelles. Mettez les pommes de terre 20 minutes avant la cuisson. Au moment de servir, pilez l'ail et pressez 1 citron. Rectifiez l'assaisonnement si nécessaire. Vous pouvez accompagner le colombo de poulet d'un riz créole.

POULET FARCI CRÉOLE

Pour 4 personnes
Préparation : 30 minutes
Cuisson : 1 heure

1 poulet de 1 à 1,5 kg *
2 citrons verts

Farce
100 g de foies de volailles *
3 oignons–pays ou cives *
100 g de pâté de foie
de volailles * 2 petits–suisses *
30 g de mie de pain trempée
dans du lait * 1 petit verre
de rhum * 50 g de beurre *
2 oignons–France *
2 branches de thym * sel *
poivre

Faites revenir dans un peu de beurre, les foies de volaille hachés avec les oignons–pays coupés finement 15 minutes. Écrasez le pâté de foie, les petits–suisses et la mie de pain trempée dans du lait. Utilisez un peu de lait chaud, la mie sera tout de suite imprégnée. Malaxez bien le tout avec les foies hachés et revenus puis ajoutez le rhum. Remplissez le poulet de cette farce, après les avoir citronné à l'intérieur et à l'extérieur, puis recousez–le. Salez et poivrez. Mettez–le dans un plat beurré allant au four à 200 °C (th. 7) avec des oignons émincés tout autour et du thym émietté. Faites cuire 45 minutes. Versez un peu d'eau dans le fond du plat et arrosez souvent le poulet pendant sa cuisson. Baissez la température si nécessaire.

FRICASSÉE DE POULET

Pour 4 personnes
Préparation : 30 minutes
Cuisson : 45 minutes
Marinade : 24 heures

1 poulet de 1 à 1,5 kg coupé
en morceaux * 3 cuillerées
à soupe d'huile * 3 citrons verts *
3 branches de thym *
2 gousses d'ail * 1 piment *
20 g de beurre *
1 oignon – France * 1 petit verre
de rhum vieux * 1 verre d'eau *
1 bouquet garni (thym,
oignons – pays, persil) *
2 feuilles de laurier * sel *
poivre

La veille : faites mariner le poulet pendant 24 heures avec de l'huile, le jus de 2 citrons verts, le thym, 1 gousse d'ail écrasée, un peu de piment haché et du sel. Retournez les morceaux de temps en temps.
Le jour même : faites revenir dans du beurre et de l'huile l'oignon émincé et le poulet jusqu'à ce qu'il soit bien coloré. Versez le jus de la marinade passé au chinois. Salez et poivrez. Ajoutez le rhum, l'eau, le bouquet garni et le laurier. Laissez mijoter 45 minutes environ. Servez bien chaud avec du riz ou un gratin de cristophines (voir recette p. 104).

POULET AU CURRY ET AU COCO

Pour 4 personnes
Préparation : 20 minutes
Cuisson : 1 h 10
Marinade : 24 heures

1 poulet coupé en morceaux *
1 cuillerée à café de piment
de Cayenne * 2 citrons verts *
2 gousses d'ail * 4 cuillerées
à café de poudre de curry *
500 g de noix de coco râpée
ou de pulpe de coco *
500 g d'oignons – France *
1 bouquet garni (thym,
oignons – pays, persil) *
1 yaourt * 2 cuillerées à soupe
de crème fraîche *
80 g de beurre * pistaches
ou cacahuètes salées *
2 bananes – dessert * sel *
poivre

Demandez au volailler d'ôter la peau du poulet et d'inciser chaque morceau.
Mélangez le piment, du sel et le jus des citrons. Faites macérer le poulet 30 minutes. Préparez la marinade : mixez l'ail, le curry, 250 g de coco râpée ou de pulpe de coco, 250 g d'oignons, le bouquet garni, le yaourt et la crème. Salez et poivrez. Badigeonnez le pouletde cette préparation. Réservez 24 heures au réfrigérateur recouvert d'un film alimentaire. Ajoutez un peu de beurre et enfournez 30 minutes à 220 °C (th. 7 – 8). Baissez le thermostat et faites cuire le poulet encore 40 minutes, en prenant soin de l'arroser souvent.
Au moment de servir, retirez l'ail et le bouquet garni. Présentez à part l'autre moitié des oignons hachés revenus avec du beurre, le reste de noix de coco râpé ou de pulpe de coco, les pistaches ou cacahuètes et les bananes coupées dans le sens de la longueur et passées au beurre.
Dégustez le poulet avec tous ces ingrédients et du riz a u safran, le tout copieusement arrosé de sucre.

POULET AUX PISTACHES

Pour 4 personnes
Préparation : 30 minutes
Cuisson : 1 heure
Marinade : 12 heures

1 poulet de 1 à 1,5 kg coupé en morceaux * 2 gousses d'ail * 2 branches de thym * 2 citrons verts * 1 feuille de laurier * 3 cives ou oignons–pays * 1 piment * 2 cuillerées à soupe d'huile * 20 g de beurre * 2 oignons–France * 3 tomates * 4 carrés d'ignames blanches * 150 g de beurre de cacahuètes * 2 cuillerées à soupe de crème fraîche * sel * poivre

La veille : faites mariner les morceaux de poulet avec l'ail écrasé, le thym émietté, le jus des citrons verts, du sel, du poivre, le laurier, les cives hachées et un morceau de piment. Le jour même : faites revenir le poulet dans l'huile et le beurre avec les oignons émincés ; quand il est coloré, ajoutez les tomates pelées et épépinées et le concentré. Laissez mijoter le tout pendant 30 minutes en ayant introduit en cours de cuisson le beurre de cacahuètes. Avant de servir, délayez la crème fraîche dans la sauce, sans porter à ébullition. Présentez le poulet nappé de son jus et les légumes à part.

POULET GRILLÉ CRÉOLE

Pour 4 personnes
Préparation : 20 minutes
Cuisson : 30 minutes
Marinade : 2 heures

1 poulet bien tendre ou 2 coquelets * 4 citrons verts * 2 gousses d'ail * 4 graines de bois d'Inde * sel

Sauce chien
1 cuillerée à soupe d'huile * 2 oignons–pays hachés * 2 échalotes émincées jus de 2 citrons verts * 1 verre d'eau bouillante * persil haché * sel * poivre

Faites mariner le poulet coupé en quatre, ou les coquelets coupés en deux, avec le jus des citrons verts, du sel, l'ail pilé et les graines de bois d'Inde écrasées pendant 2 heures minimum. Passez le poulet 15 minutes sous le gril de votre four, ou au barbecue, de chaque côté en les arrosant de temps à autre de marinade. Servez accompagné de la sauce chien et de légumes–pays, qui se dégusteront écrasés dans la sauce, en ajoutant un peu d'huile à la façon antillaise.

POULE OU COQ DU NOUVEL AN

1 vieux coq ou 1 grosse poule *
2,5 litres d'eau * 1 bouquet
garni (thym, oignons—pays,
persil) * 1 oignon—France
piqué de clou de girofle *
8 carottes * 6 navets *
8 poireaux * 3 branches
de céleri * 4 pommes de terre *
1 oignon—France brûlé * sel *
poivre

Sauce
1 oignon—France * 2 cuillerées
à soupe d'huile * 2 cuillerées
à soupe de farine * noix
de muscade * 1 jaune d'œuf
(facultatif) * 2 cuillerées
à soupe de crème fraîche
(facultatif)

Pour 8 personnes
Préparation : 30 minutes
Cuisson : 1 h 40

Plongez le coq ou la poule dans un grand faitout avec 2,5 litres d'eau froide. Portez à ébullition et retirez l'écume au fur et à mesure de sa formation. Salez et poivrez. Mettez le bouquet garni, l'oignon piqué de clous de girofle et laissez bouillir 1 h 30. Ajoutez les légumes épluchés 1 heure avant la fin de la cuisson (sauf les pommes de terre, incorporez-les 20 minutes avant la fin de la cuisson) et l'oignon brûlé. Pour obtenir un oignon brûlé, passez-le sous une flamme, la première enveloppe devient noire et colore agréable-ment le bouillon.

Préparez la sauce : faites un roux avec l'oignon émincé revenu dans l'huile. Saupoudrez de farine et mouillez avec 2 bols de bouillon de cuisson. Salez et poivrez. Râpez un peu de noix de muscade. Vous pouvez améliorer cette sauce avec 1 jaune d'œuf délayé avec 2 cuillerées de crème fraîche. Servez le coq ou la poule avec les légumes séparément, accompagnés de la sauce.

Vous pouvez, selon vos goûts, servir la poule ou le coq accompagné d'une vinaigrette bien relevée avec des échalotes hachées, des oignons—pays coupés finement, du sel, du poivre, du persil haché, le jus d'un citron vert et éventuellement un peu de piment.

LÉGUMES

Les légumes, abondants aux Antilles, se consomment sous des formes bien différentes et peuvent vous réserver d'agréables surprises. Vous dégusterez ainsi les multiples racines alimentaires, aux saveurs variées, généralement appelées « légumes–pays ».

GRATIN DE CRISTOPHINES OU CHAYOTTES
1ÈRE RECETTE

Pour 4 personnes
Préparation : 30 minutes
Cuisson : 35 à 40 minutes

3 belles cristophines (1 kg)
vertes ou blanches *
100 g de mie de pain trempée
dans du lait * 2 cuillerées
à soupe d'huile *
1 oignon–France * 1 cuillerée
à soupe de farine * 5 cuillerées
à soupe de lait * 1 bouquet garni
(thym, oignons–pays, persil) *
1 gousse d'ail * 100 g de gruyère
râpé ou de chapelure * sel *
poivre

Choisissez de préférence des cristophines blanches bien mûres (la tête éclate, le germe est prêt à sortir).
Coupez–les en deux et faites–les cuire 20 minutes dans l'eau bouillante salée. Jetez le cœur, prélevez la chair à l'aide d'une cuillère et passez au moulin à légumes. Placez la purée obtenue dans un linge en l'essorant pour expurger l'eau des cristophines. Incorporez la mie de pain trempée dans du lait.
Faites un roux avec l'oignon légèrement revenu dans l'huile, saupoudrez de farine et mouillez avec le lait, ajoutez le bouquet garni et laissez cuire 10 minutes à feu doux. Mélangez la purée et la béchamel épaisse. Rectifiez l'assaisonnement. Remplissez les peaux des cristophines ou un plat à gratin de cette préparation. Parsemez de gruyère ou de chapelure. Enfournez à four chaud 220 °C (th. 7–8) 5 à 10 minutes.

GRATIN DE CRISTOPHINES
2E RECETTE

Pour 4 personnes
Préparation : 25 minutes
Cuisson : 30 minutes

3 belles cristophines *
2 cuillerées à soupe d'huile *
2 ognons—France * 1 cuillerée
à soupe de persil haché *
3 cuillerées à café de farine *
25 cl de lait * 1 gousse d'ail *
150 g d * gruyère râpé *
chapelure * beurre * sel *
poivre

Coupez les cristophines en deux, retirez le cœur puis faites—les cuire dans l'eau salée plus de 15 minutes.
À l'aide d'une cuillère, prélevez la chair (si possible sans crever la peau) et réduisez-la en purée. Dans une casserole, faites revenir l'huile, l'oignon, le persil haché et la farine. Mouillez avec le lait. Salez et poivrez. Ajoutez l'ail haché et joignez la purée préparée auparavant. Laissez cuire 5 minutes. Dans un plat à gratin, alternez une couche de purée, une couche de gruyère râpé, jusqu'à épuisement des ingrédients. Parsemez de chapelure et de quelques noisettes de beurre. Faites gratiner 10 minutes à four chaud à 220 °C (th. 7—8). Servez aussitôt.
Vous pouvez aussi introduire la préparation à l'intérieur de la peau des cristophines, si celle—ci n'a pas été crevée.

CRISTOPHINES À LA CRÈME

2 grosses cristophines *
4 cuillerées à soupe de crème
fraîche * 60 g de gruyère râpé *
sel * poivre

Pour 4 personnes
Préparation : 10 minutes
Cuisson : 25 minutes

Lavez les cristophines et coupez-les dans le sens de la longueur. Faites-les cuire 20 minutes environ dans l'eau salée. Lorsqu'elles sont cuites, en ayant eu soin de ne pas abîmer la peau des cristophines, retirez le cœur et prélever la chair à l'aide d'une cuillère. Écrasez-la grossièrement à l'aide d'une fourchette avec la crème fraîche. Garnissez les peaux des cristophines de cette préparation. Parsemez de gruyère râpé et faites gratiner 5 minutes au four. Servez aussitôt.

SOUFFLÉ DE CRISTOPHINES

3 cristophines *
1 beau bouquet garni (thym,
oignons-pays, persil) *
50 g de beurre *
1 oignon-France * 2 cuillerées
à soupe de farine * 25 cl de lait *
noix de muscade * 3 jaunes
d'œufs * 1 cuillerée à soupe
de crème fraîche (facultatif) *
100 g de gruyère râpé *
5 blancs d'œufs * sel * poivre

Pour 4 personnes
Préparation : 25 minutes
Cuisson : 45 minutes

Coupez les cristophines en deux. Faites-les cuire 20 minutes dans l'eau salée avec le bouquet garni. Enlevez les cœurs. Ne conservez que la chair. Écrasez la chair et pressez-la dans un linge pour en faire sortir l'eau. Faites une béchamel avec le beurre et l'oignon émincé. Ajoutez la farine, remuez bien à l'aide d'une cuillère en bois, puis mouillez avec le lait. Salez et poivrez. Râpez un peu de noix de muscade. Délayez les jaunes d'œufs avec la crème fraîche. Mélangez-les à la béchamel et à la purée de cristophines. Ajoutez le gruyère râpé et incorporez délicatement, au dernier moment, les blancs d'œufs battus fermement. Beurrez un moule à soufflé, ne le remplissez qu'aux trois quart et faites cuire 20 minutes à four doux, 150 °C (th. 5). Lorsqu'il sent et qu'il monte, ne le faites pas attendre !

CRISTOPHINES SAUTÉES AU LARD

Pour 4 personnes
Préparation : 15 minutes
Cuisson : 25 minutes

2 belles cristophines *
30 g de beurre * 1 cuillerée à soupe
d'huile * 2 oignons–France *
1 gousse d'ail * 150 g de lardons *
hachis de persil * sel * poivre

Pelez les cristophines crues. Retirez le cœur et coupez–les en dés. Faites dorer, dans du beurre et de l'huile, les oignons émincés et les dés de cristophines. Ajoutez l'ail écrasé, les lardons revenus. Salez et poivrez. Laissez cuire le tout 20 minutes environ. Servez pour accompagner une viande avec un hachis de persil.

PAPAYES VERTES AU GRATIN

Pour 4 personnes
Préparation : 20 minutes
Cuisson : 30 minutes

Les papayes se consomment mûres, en entrée ou en dessert, à la façon d'un melon ; elles ont des vertus digestives très appréciées par les amateurs de piment et d'épices... Comme légume, il est indispensable de les utiliser très vertes.

2 à 3 papayes vertes *
5 oignons–pays * 2 branches
de thym * piment (facultatif) *
50 g de beurre * 2 cuillerées
à soupe de farine * 1 bouquet
garni (thym, oignons–pays,
persil) * 25 cl de lait *
noix de muscade *
100 g de gruyère râpé * sel *
poivre

Épluchez les papayes et faites–les cuire dans l'eau salée et poivrée avec les oignons–pays, le thym et le morceau de piment. Lorsque les papayes sont cuites, égouttez–les, passez–les au presse–purée et incorporez–les à la béchamel que vous aurez faites avec le beurre, le bouquet garni, la farine, le tout mouillé avec le lait. Salez et poivrez. Râpez de la noix de muscade. Remplissez le plat à gratin de cette préparation, parsemez de gruyère râpé et enfournez 10 minutes environ à 190 °C (th. 6).

BANANES

Il existe plusieurs variétés de bananes : les bananes-desserts et les bananes à cuire. Parmi ces dernières, on utilise en légumes : les bananes vertes dites « ti-nains » ou « ti-figues » ; les bananes jaunes ou encore les bananes « poyos », les « tontons-bananes », etc. (voir Lexique).

BANANE VERTE
Ou « TI-NAIN »

C'est la banane que l'on trouve sur les marchés métropolitains mais que l'on consomme verte aux Antilles. Pour l'éplucher, il faut s'enduire les mains d'huile car la peau secrète une gomme dont on se débarrasse difficilement ; et l'entailler dans le sens de la longueur pour mieux écarter la peau. Elle se cuit à l'eau bouillante salée pendant 15 à 20 minutes. Elle accompagne particulièrement le crasé-moru (voir recette p. 73) ou les tripes raccommodées (voir recette p. 82). On l'écrase dans la sauce. Comptez deux par personne. Vous pouvez aussi cuire la banane plus facilement en coupant ses extrémités et en incisant la peau.

BANANE JAUNE

Elle est plus grosse que la banane « ti-nain ». elle se cuit généralement avec la peau, en coupant les extrémités, à l'eau salée pendant 10 à 20 minutes suivant sa maturité (on la préfère mûre et sucrée). Elle se mange nature ou coupée en rondelles et poêlée avec du beurre. Elle accompagne un rôti, un court-bouillon de poissons ou un riz créole. Vous pouvez la déguster aussi sous d'autres formes, comme le gratin et les chips.

CHIPS DE BANANES

Pour faire les chips, utilisez des bananes jaunes pas trop mûres ou des bananes « ti-nains ». Épluchez-les et taillez-les en rondelles à l'aide d'une mandoline. Faites-les tremper 30 minutes dans une eau salée et pimentée. Essuyez-les et plongez-les 5 à 10 minutes dans un bain de friture bien chaud. Salez-les au moment se servir.

GRATIN DE BANANES JAUNES

2 bananes jaunes bien mûres *
4 cuillerées à soupe d'huile *
30 g de beurre * 2 cuillerées
à soupe de farine *
1 grand verre de lait *
100 g de gruyère * sel * poivre

Pour 4 personnes
Préparation : 30 minutes
Cuisson : 25 minutes

Épluchez les bananes. Coupez–les en deux dans le sens de la longueur, puis en lamelles. Dans une poêle, faites–les frire dans l'huile par petites quantités. Préparez la béchamel avec le beurre et la farine bien mélangés, le lait, du sel et du poivre. Disposez par couches successives dans un plat à gratin les bananes et la béchamel. Terminez par la béchamel et saupoudrez de gruyère râpé. Enfournez 10 minutes à 220 °C (th. 7–8).

GRATIN DE BANANES JAUNES ET DE COROSSOL

2 bananes jaunes * 2 tranches
de corossol * 30 g de beurre *
1 cuillerée à soupe de farine *
1 verre de lait * 50 g de chapelure *
sel * poivre

Pour 4 personnes
Préparation : 20 minutes
Cuisson : 30 minutes

Coupez les extrémités des bananes et faites–les cuire dans l'eau salée en 2 tronçons (si elles sont bien mûres 10 minutes suffiront). Épluchez le corossol en éliminant les pépins et mixez–le. Retirez la peau des bananes, écrasez–les à l'aide d'une fourchette et ajoutez le corossol. Faites une béchamel avec le beurre fondu, la farine et le lait. Salez et poivrez. Laissez cuire quelques minutes. Incorporez la préparation de bananes jaunes et corossol et rectifiez l'assaisonnement si nécessaire. Parsemez de chapelure et faites griller le tout au four 10 minutes à 180 °C (th. 6).

CONCOMBRES AU GRATIN

Pour 4 personnes
Préparation : 15 minutes
Cuisson : 20 minutes

2 ou 3 concombres (selon leur taille) * 30 g de beurre * 2 cuillerées à soupe de farine * 1 verre de lait * 80 g de gruyère râpé * sel * poivre

Épluchez les concombres, ôtez les pépins, puis coupez-les en rondelles. Faites-les suer tout doucement dans le fond d'une poêle avec une noisette de beurre pour qu'ils rendent leur eau. Préparez une béchamel bien relevée avec le beurre, la farine et le lait. Dans votre plat à gratin, placez par couche successives les concombres et la béchamel. Saupoudrez de gruyère et faites dorer 10 minutes environ au four.

DAUBE DE CONCOMBRES

Pour 4 personnes
Préparation : 15 minutes
Cuisson : 45 minutes

Le concombre antillais est plus court et plus gros que celui de Métropole, mais il a le même goût.

2 beaux concombres un peu jaunes de préférence * 3 cuillerées à soupe d'huile * 1 oignon-France * 1 gousse d'ail * 3 tomates * 1 poivron (facultatif) * 1 cuillerée à soupe de concentré de tomates * sel * poivre

Pelez les concombres. Ouvrez-les en deux. À l'aide d'une cuillère à café, creusez-les pour en retirez les pépins, puis coupez-les en morceaux. Dans une cocotte, faites revenir avec de l'huile, l'oignon émincé, l'ail écrasé, les tomates pelées et épépinées et le poivron coupé en lanières. Ajoutez le concentré de tomates, les concombres. Salez et poivrez. Couvrez et laissez mijoter 45 minutes.

DAUBE DE MASSICIS

Comme la daube de concombres, préparez une daube de massicis (variété de petits concombres). La peau a des aspérités que l'on gratte à l'aide d'un couteau. Ne les épluchez pas, mais coupez-les en quatre dans le sens de la longueur et enlever les graines qui les remplissent à l'aide d'une cuillère ou en les pressant.
La préparation est un peu longue mais elle en vaut la peine car les massicis sont délicieux.

PURÉE DE GIRAUMON

Pour 4 personnes
Préparation : 15 minutes
Cuisson : 25 minutes

Le giraumon est le potiron de Métropole.

1 kg de giraumon * 2 cuillerées à soupe d'huile * 3 cives ou oignons-pays * 3 gousses d'ail * 2 branches de thym * persil * 1 piment (facultatif) * sel * poivre

Épluchez le giraumon, retirez les pépins, coupez-le en morceaux et faites-le cuire dans l'eau salée. Passez-le à la moulinette quand il est cuit. Dans une casserole, faites revenir à l'huile, les cives, l'ail écrasé, le thym émietté, le persil haché et le piment coupé en morceaux. Ajoutez la purée de giraumon, salez et poivrez à votre goût. Mélangez au mixer jusqu'à l'obtention d'une meilleure onctuosité. Sevrez la purée avec un bon morceau de beurre, ou, si vous préférez, gratinée avec du gruyère ou de la chapelure, en la passant 10 minutes au four à 200 °C (th. 7).

BEIGNETS DE GOMBOS

Pour 4 personnes
Préparation : 30 minutes
Cuisson : 15 minutes
Marinade : 1 heure

Les gombos, mangés généralement en entrée à la vinaigrette (voir la rubrique des Hors-d'œuvre) ou en calalou, se cuisinent aussi en daube (remplacez les concombres par les gombos bouillis 5 minutes à l'eau salée), ou encore en beignets.

250 g de gombos * 1 citron vert * piment confit

Marinade
2 cuillerées à soupe d'huile * 1 citron vert * sel * poivre

Pâte à beignets
150 g de farine * 1 œuf entier * 1 cuillerée à soupe d'huile * 2 blancs d'œufs * 1 petit verre de bière * sel

Lavez et coupez la tête des gombos. Faites-les cuire 10 minutes environ dans une casserole d'eau salée. Égouttez-les bien. Faites-les mariner avec l'huile, le jus de citron, du sel et du poivre pendant 1 heure.
Préparez la pâte à beignets : dans un saladier, déposez la farine, l'œuf entier, l'huile et du sel. Mélangez bien à l'aide d'une cuillère en bois. Versez peu à peu la bière et laissez reposer 1 heure. Juste avant d'utiliser la pâte, incorporez les blancs d'œufs battus fermement. Séchez bien les gombos avant de les tremper dans la pâte à beignets. Plongez-les 5 minutes dans l'huile bien chaude et servez-les avec des palettes de citrons verts et du piment confit (voir recette p. 27).

AUBERGINES FRITES

Pour 4 personnes
Préparation : 30 minutes
Cuisson : 15 minutes

Les aubergines à peau marbrée blanche et rouge, ou bélangères, sont utilisées de la même manière que les aubergines à peau foncée de Métropole.

2 jeunes aubergines *
2 cuillerées à soupe de farine *
5 cuillerées à soupe d'huile *
100 g de gruyère râpé *
gros sel * sel * poivre

Coupez les aubergines en rondelles fines avec la peau et faites-les dégorger avec du gros sel pendant 30 minutes. Essuyez-les soigneusement, passez-les légèrement dans la farine de chaque côté et faites-les frire, par petites quantités, dans l'huile bien chaude, 5 minutes environ. Dès qu'elles sont cuites, saupoudrez-les de gruyère râpé. Celui-ci va fondre sur les aubergines. Salez et poivrez, si vous le désirez. Servez les aubergines frites à l'apéritif ou pour accompagner une viande.

BÉLANGÈRES OU AUBERGINES FARCIE

Pour 4 personnes
Préparation : 20 minutes
Cuisson : 25 minutes

2 belles aubergines *
2 échalotes * 3 oignons-pays *
1 gousse d'ail * persil *
1 piment (facultatif) *
150 g de farce ou de reste
de viande ou jambon haché *
3 cuillerées à soupe d'huile *
20 g de beurre * 30 g de mie
de pain trempée dans du lait *
1 œuf * 50 g de chapelure * sel *
poivre

Coupez les aubergines dans le sens de la longueur. À l'aide d'une cuillère à café et d'un couteau, creusez les aubergines pour prélevez la chair de l'intérieur et réservez-la.
Faites suer les aubergines à la poêle avec un peu d'huile pour qu'elles rendent leur eau. Hachez finement la chair des aubergines, les échalotes, les oignons-pays, l'ail, le persil et le piment. Faites revenir le tout avec la viande hachée ou le jambon dans un peu d'huile et du beurre. Salez et poivre. Incorporez la mie de pain trempée dans une goutte de lait chaud et liez la farce avec l'œuf. Remplissez les aubergines avec cette préparation. Parsemez de chapelure et faites dorer environ 15 minutes au four à 220 °C (th. 7-8).

FRUIT À PAIN

Le fruit à pain pousse sur de grands arbres, abondants aux Antilles, à feuilles larges et découpées. On le cueille mûr. Il a l'aspect d'un gros melon vert. On le prépare sous différentes formes, nature, cuit à l'eau salée pendant 20 minutes environ, en retirant largement la peau qui servira de couvercle pour la cuisson) et en coupant le fruit en gros morceaux, ou encore en croquettes ou en frites. Le fruit à pain se consomme aussi en migan, une purée où le légume très cuit est battu avec le « bâton lélé » et où il reste quelques morceaux. Ce migan est accompagné en général de cochon salé et d'une chiquetaille de morue.

CROQUETTES DE FRUIT À PAIN

½ fruit à pain * 1 oignon—France * 2 œufs (blancs et jaunes) * 1 verre de lait * huile * sel * poivre

Pour 4 personnes
Préparation : 20 minutes
Cuisson : 30 minutes

Épluchez le fruit à pain, en retirant le cœur. Coupez-le en morceaux et faites-le cuire à l'eau salée avec un oignon pendant 20 minutes en utilisant la peau comme couvercle. Quand il est cuit, passez-le au moulin à légumes avec l'oignon. Incorporez à la purée les jaunes d'œufs, le lait. Salez et poivrez. Ajoutez les blancs d'œufs battus fermement. Plongez les croquettes dans un bain de friture bien chaud à l'aide d'une petite cuillère.

SOUFFLÉ DE FRUIT À PAIN

½ fruit à pain * 50 g de beurre * 1 petit pot de crème fraîche * 3 œufs * sel * poivre

Pour 4 personnes
Préparation : 20 minutes
Cuisson : 35 minutes

Préchauffez le four à 250 °C (th. 8—9). Faites cuire le fruit à pain épluché et débarrassé de sa partie centrale. Réduisez-le en purée. Incorporez le beurre, la crème et les jaunes d'œufs mélangés, puis les blancs battus en neige avec une pincée de sel.
Versez la préparation dans un plat à soufflé beurré. Enfournez, puis réduisez la température à 180 °C (th. 6) et laissez cuire 15 à 20 minutes. Vous pouvez également utiliser, pour ce genre de soufflé, des patates douces ou des ignames blanches.

FRITES DE FRUIT À PAIN

Pour 4 personnes
Préparation : 10 minutes
Cuisson : 15 minutes

½ fruit à pain * eau salée * huile

Épluchez le fruit à pain et coupez-le en bâtonnets. Faites tremper les frites dans de l'eau tiède fortement salée. Égouttez-les et séchez-les avec un linge avant de les plonger, en une seule fois, dans l'huile bien chaude.

CHOU COCO AU GRATIN

Pour 4 personnes
Préparation : 20 minutes
Cuisson : 30 minutes

Les feuilles en formation du cœur du cocotier sont consommées en vinaigrette, les parties dures sont accommodées en gratin.

500 g de chou coco (ou chou palmiste) * 30 g de beurre * 2 cuillerées à soupe de farine * 1 verre de lait * 100 g de gruyère râpé * sel * poivre

Épluchez le chou coco pour en ôter les parties fibreuses. Coupez-le en morceaux et faites-le cuire environ 20 minutes à l'eau bouillante salée. Préparez une béchamel : mélangez le beurre fondu, la farine et mouillez avec le lait. Assaisonnez légèrement pour ne pas « tuer » le goût très fin du chou coco.
Dans un plat à gratin beurré, mettez les morceaux de chou coco, la béchamel et saupoudrez de gruyère râpé. Faites dorer 10 minutes au four à 220 °C (th. 7).

RIZ ANTILLAIS

Il se déguste peu cuit : c'est un riz « debout » dont les grains se détachent. Jetez au fond de la casserole une poignée de riz non traité après les avoir lavé. Couvrez avec le double de volume d'eau salée et froide. Quand l'eau est absorbée par le riz (10 à 15 minutes) vous pouvez servir.
Vous pouvez aussi le manger très cuit : c'est un « riz en pâte » que l'on couvre avec beaucoup d'eau salée agrémentée d'un oignon-France, d'oignons-pays et parfois d'une pointe de curry. L'eau sera plus longue à s'évaporer, comptez 30 minutes au minimum). Les grains seront collés, coupez le « riz en pâte » !
Le riz, particulièrement consommé en Guyane, remplace les légumes-pays nature dans certains plats antillais. Il se marie particulièrement avec les haricots rouges et une daube de poissons ou de légumes ou encore avec un court-bouillon de poissons.

POIS

En général, on appelle « pois » les haricots. Les haricots verts frais se nomment « pois tendres » par opposition aux « pois secs ». On consomme les haricots blancs et surtout les haricots rouges, très cuits, bien « crevés », servis avec leur jus de cuisson pour accompagner et arroser le ragoût de cochon ou le chatrou (poulpe) entre autres. On ne les sert pas seuls, mais avec des légumes–pays cuits nature.

Les lentilles toujours « crevées » se marient à la béchamel–morue (voir recette p. 74). Lorsque vous avez des restes de lentilles ou de haricots, utilisez–les en soupe en les agrémentant d'un bouquet garni, d'un oignon–France et éventuellement d'un morceau de giraumon.

POIS D'ANGOLE

Pour 4 personnes
Préparation : 10 minutes
Cuisson : 40 minutes

Le pois d'Angole, originaire d'Angola, pousse sur un arbuste. Il arrive à maturité au moment de Noël et accompagne traditionnellement le ragoût de cochon. Il a la couleur et la forme plate d'une lentille, la taille d'un petit pois et s'écosse de la même façon.

800 g de pois d'Angole
(ou 400 g écossés) *
1 oignon–France * thym *
1 gousse d'ail * 1 cuillerée
à soupe d'huile * 1 morceau de
chou dur ou chou Dachine *
sel * 4 cuillerées à soupe
de sucre ou 3 cuillerées
de sirop de sucre (facultatif)

Faites cuire les pois dans une casserole d'eau bouillante avec l'oignon coupé en quatre, le thym, l'ail et l'huile. Laissez mijoter 40 minutes à feu doux. Les pois doivent « crever ». À mi–cuisson, ajoutez les morceaux de chou. Salez à la fin et sucrez en sortant du feu. Vous les dégusterez « éclatés » baignant dans leur jus de cuisson.

RACINES ALIMENTAIRES

Comme tous ces légumes, on consomme aussi les légumes–pays qui poussent sous terre. Parmi les racines alimentaires, il faut citer :

— la patate douce qui se cuit, épluchée, à l'eau salée, sous la cendre ou au four comme une pomme de terre, ou encore en purée.

— les ignames, dont il existe plusieurs variétés, de goût et de consistance divers (voir Lexique).

On consomme l'igname, le plus souvent nature, cuite 20 à 25 minutes à l'eau bouillante salée et écrasée dans l'assiette avec un filet d'huile à la façon créole. Il est d'ailleurs indispensable, pour apprécier les légumes–pays de préparer ce « crasé », très arrosé de sauce et pimenté selon le goût.

On peut aussi préparer l'igname en frites. Coupez–la en bâtonnets que vous ferez tremper dans l'eau salée tiède et que vous essuierez avant de les plonger dans un bain de friture. Mais la manière la plus spectaculaire de faire connaître l'igname à vos convives, est encore de la présenter en purée, enfermée dans sa peau.

IGNAME RECONSTITUÉE

Pour 6 à 8 personnes
Préparation : 20 minutes
Cuisson : 30 minutes

1 igname blanche de 2 à 2,5 kg de forme régulière *
1 grand verre de lait * 1 grand verre d'eau * 50 g de beurre *
1 cuillerée à soupe de crème fraîche (facultatif) * sel * poivre

Brossez l'igname énergiquement afin de la débarrasser totalement de sa terre. Faites-la cuire entière environ 30 minutes, selon sa taille, dans l'eau bouillante salée. Lorsqu'elle est cuite, découpez à l'aide d'un couteau pointu un couvercle ovale. Prélevez délicatement la chair avec une cuillère. Laissez 1 cm d'épaisseur environ afin de ne pas la crever et de lui conserver sa forme.

Réduisez la chair en purée à l'aide d'un moulin à légumes ou d'un mixeur. Ajoutez du lait, de l'eau, du beurre et un peu de crème fraîche. Salez et poivrez.

Présentez la purée dans l'igname, que vous aurez reconstitué en posant le couvercle. Cette préparation accompagne les rôtis ou les viandes grillées.

CHOUX

Le plus connu est le chou Dachine (madère à la Guadeloupe), dont certaines variétés deviennent blanches à la cuisson. On le mange nature, cuit 20 minutes à l'eau bouillante salée et écrasé à l'aide d'une fourchette, arrosé de sauce et d'un filet d'huile d'arachide, à la façon antillaise, ou avec du beurre, selon votre préférence.

On trouve bien d'autres choux, comme le choux mol ou le choux dur qui se préparent de la même manière. Le chou malanga, très fin, est particulièrement apprécié en acras. Comme pour la pomme de terre, on plante une « maman chou » ; tout autour viennent s'accrocher les « graines de chou » qui sont plus tendres à déguster (voir aussi Lexique).

COUSCOUCHE

Elle ressemble au chou, mais sa saveur est plus fine. On la donne aux enfants en bas âge sous forme de purée.

DESSERTS

PAIN DOUX

Pour 4 personnes
Préparation : 20 minutes
Cuisson : 45 minutes

4 jaunes d'œufs *
150 g de sucre en poudre *
100 g de farine * 1 cuillerée à café
d'essence de vanille * écorce
de cannelle * 1 citron vert *
6 blancs d'œufs

Mélangez soigneusement les jaunes d'œufs
et le sucre en poudre au fouet jusqu'à ce que
vous obteniez une préparation crémeuse et
blanche. Ajoutez la farine tamisée, l'essence de
vanille, l'écorce de cannelle râpée et le zeste
d'un citron vert râpé. Incorporez délicatement
les blancs d'œufs battus en neige très ferme.
Beurrez et farinez votre moule, (en couronne
de préférence) puis enfournez 45 minutes
à 150 °C (th. 5).

FLAN AU COCO

Pour 4 personnes
Préparation : 20 à 30 minutes
Cuisson : 45 minutes

1 noix de coco ou 300 g
de noix de coco râpée * 1 boîte
de lait concentré sucré (50 cl)
et la même quantité de lait *
1 cuillerée à café d'essence
ou 1 gousse de vanille ouverte
en deux * 1 citron vert * 3 œufs *
50 g de sucre pour caraméliser
le moule

Râpez finement la noix de coco et retirez le
jus (vous pouvez utiliser la noix de coco râpée
que l'on trouve en Métropole). Faites bouillir
le lait concentré, le lait avec la vanille et le
zeste du citron vert. Ajoutez la noix de coco
râpée. Versez le lait chaud petit à petit sur les
œufs entiers battus. Faites un caramel en remuant sans cesse le sucre en poudre avec
une cuillère en bois, jusqu'à ce qu'il se colore.
Garnissez le fond et les bords d'un moule et
remplissez-le de la préparation. Faites cuire
45 minutes au bain-marie au four à 150 °C (th. 5).

GÂTEAU À LA NOIX DE COCO

Pour 4 personnes
Préparation : 10 minutes
Cuisson : 30 minutes

4 cuillerées à soupe de farine *
8 cuillerées à soupe de sucre
en poudre * 200 g de noix
de coco râpée * 1 paquet
de sucre vanillé ou 1 cuillerée
à soupe d'extrait de vanille *
125 g de beurre * 4 blancs d'œufs

Mélangez la farine et le sucre en poudre, la noix de coco râpée, la vanille et le beurre fondu. Ajoutez les blancs d'œufs sans les battre en neige. Mettez le tout dans un moule bien beurré 30 minutes environ à four moyen à 180 °C (th. 6).

BLANC-MANGER COCO

Pour 4 personnes
Préparation : 20 à 30 minutes
Cuisson : 10 minutes

1 noix de coco ou 300 g
de noix de coco râpée *
50 cl de lait ou 1 boîte de lait
concentré mélangée à 50 cl
de lait coco * 1 cuillerée à
soupe d'essence de vanille
ou 1 gousse de vanille *
4 feuilles de gélatine * 1 cuillerée
à soupe d'amandes amères
(ou essence de noyaux que
l'on trouve en bouteille sur les
marchés antillais) *
4 jaunes d'œufs *
200 g de sucre en poudre *
1 pincée de sel

Râpez la noix de coco et faites-la tremper dans le lait que vous aurez fait bouillir avec l'essence ou la gousse de vanille. Faites fondre les feuilles de gélatine à feu doux avec un peu d'eau chaude et 1 cuillerée à soupe d'essence de noyaux. Mélangez les jaunes d'œufs avec le sucre. Battez bien la préparation à l'aide d'une cuillère en bois, jusqu'à l'obtention d'un mélange crémeux et presque blanc. Versez le lait chaud passé (la pulpe de coco sera pressée dans un linge) et incorporez la gélatine entièrement fondue. Remettez cette préparation à feu très doux, remuez sans cesse sans laisser bouillir. Au premier frémissement, retirez du feu et réservez dans un moule au réfrigérateur, jusqu'à ce qu'elle prenne. Le blanc-manger au coco se sert très frais et quelques fois arrosé d'une goutte de café fort et décoré avec des fruits frais : ananas, mangue, papaye…

ASTUCE : vous pouvez remplacer le lait, le sucre et le coco par 50 cl de lait concentré sucré et la même quantité de lait de coco.

GÂTEAU PATATE
1ÈRE RECETTE

Pour 4 personnes
Préparation : 25 minutes
Cuisson : 45 minutes

500 g de patates douces *
150 g de beurre * 2 œufs *
100 g de sucre en poudre *
2 cuillerées à café d'essence
de vanille * 1 citron vert *
poudre de cannelle *
1 verre de rhum * 1 pincée de sel

Épluchez les patates douces. Faites-les cuire dans une casserole d'eau légèrement salée 20 minutes et passez-les chaudes au presse-purée. Mélangez les œufs et le sucre au fouet puis incorporez-les à la purée avec le beurre fondu, la vanille, le zeste de citron râpé, la cannelle et le rhum. Pétrissez bien le tout et remplissez un moule beurré. Enfournez 45 minutes à 180 °C (th. 6).

2E RECETTE

Pour 4 personnes
Préparation : 25 minutes
Cuisson : 40 minutes

500 g de patates douces *
2 feuilles de bois d'Inde *
1 boîte de lait concentré
non sucré * 250 g de sucre
en poudre * 1 citron vert *
2 cuillerées à café d'essence
de vanille * 1 pincée de
bicarbonate * 2 œufs *
50 g de beurre * 1 pincée
de sel

Faites cuire les patates douces avec le bois d'Inde dans une casserole d'eau salée. Passez-les au presse-purée. Faites chauffer le lait avec le sucre, le zeste de citron râpé, la vanille et le bicarbonate. Incorporez les œufs battus et le beurre fondu dans la purée et versez le lait aromatisé sur cette préparation. Beurrez et farinez un moule. Remplissez-le de pâte et enfournez à 180 °C (th. 6) puis à 230 °C (th. 8) pendant 40 minutes.

PUDDING AUX PRUNEAUX

400 g de pruneaux *
50 g de raisins secs * 1 citron
vert * 1 verre de rhum vieux *
1 verre d'eau chaude *
50 cl de lait * 180 g de sucre
en poudre * 1 cuillerée à soupe
d'essence de vanille *
200 g de pain rassis * 3 œufs *
60 g de sucre en poudre
(pour le caramel) * 1 bol de thé

Pour 4 personnes
Préparation : 30 minutes
Cuisson : 1 h 10

Dénoyautez les pruneaux. Faites tremper, dans un saladier rempli d'eau, 200 g de pruneaux, les raisins, le zeste de citron râpé, le verre de rhum vieux additionné au verre d'eau chaude ; laissez gonfler 1 heure environ.

Faites bouillir le lait avec le sucre et l'essence de vanille et versez-le sur le pain cassé en morceaux. Passez cette préparation à la moulinette. Ajoutez les œufs battus et mélangez aux fruits imbibés de rhum. Faites caraméliser un moule, en tournant à feu très doux le sucre en poudre à l'aide d'une cuillère en bois, jusqu'à ce qu'il se colore. Remplissez-le de la pâte à pudding. Enfournez 1 heure à 180 °C (th. 6).

Faites tremper le reste des pruneaux dans du thé chaud, assez fort, en ajoutant 2 cuillerées à soupe de sucre en poudre. Démoulez et servez froid, accompagné de ces pruneaux au sirop.

GÂTEAU BLEU

180 g de farine * ½ paquet
de levure * 180 g de beurre *
180 g de sucre * 3 œufs *
1 verre de rhum vieux * 1 citron
vert * 2 cuillerées à café
d'essence de vanille *
3 cuillerées à soupe de cacao
en poudre (facultatif) *
1 pincée de sel

Pour 4 à 6 personnes
Préparation : 15 minutes
Cuisson : 45 minutes

Mélangez la farine, du sel, la levure, le beurre ramolli, le sucre et les œufs jusqu'à ce que la pâte soit bien lisse. Vous pouvez aussi utiliser un batteur.

Parfumez de rhum, du zeste du citron vert râpé et de l'essence de vanille. Beurrez et farinez le moule. Versez la préparation et enfournez 45 minutes.

Vous pouvez aussi séparer la pâte en deux parties et colorer celle que l'on versera en premier dans le moule avec le cacao en poudre. Le mélange doit être homogène. Vous obtiendrez ainsi un gâteau marbré.

GÂTEAU À L'ANANAS OU « LE TRIOMPHE DES ISLES »

Pour 4 personnes
Préparation : 30 minutes
Cuisson : 1 heure

1 ananas ou 1 boîte de
500 g d'ananas en tranches *
4 œufs * 20 g de farine * 1 citron *
1 verre de rhum vieux *
180 g de sucre en poudre

Épluchez l'ananas et coupez-le en dés. Dans un mixeur, réduisez les trois quart en purée épaisse et faites cuire sans le jus, si vous avez utilisé une boîte d'ananas). Laissez bouillir et ajoutez le reste de fruits coupés en dés. Continuez la cuisson encore 5 minutes. Battez les œufs entiers dans une terrine avec la farine tamisée, le jus de citron et le rhum. Lorsque l'ensemble est homogène, versez cette préparation sur la compote d'ananas.

Préparez un caramel blond : remuez le sucre en poudre avec la cuillère en bois sur le feu, jusqu'à ce qu'il soit liquide. Enduisez le moule de caramel. Recouvrez de la préparation et enfournez à 180 °C (th. 6) pendant 1 heure. Laissez refroidir et démoulez très froid. Présentez avec des fruits confits et de la crème anglais (voir recette p. 132).

RIZ AU FOUR

Pour 4 personnes
Préparation : 15 minutes
Cuisson : 2 h 30

4 cuillerées à soupe de riz
non traité * 1 boîte de lait
concentré sucré * 2 cuillerées
à café d'essence de vanille *
1 citron vert * écorce de cannelle

Lavez le riz. Faites-le cuire 20 minutes environ dans l'eau pour que les grains éclatent, puis égouttez-le. Mélangez-le au lait concentré sucré et à l'eau (deux fois le volume de la boîte de lait). Parfumez avec la vanille, le zeste du citron vert et l'écorce de cannelle râpées. Enfournez 2 heures environ à 150 °C (th. 5) dans un moule assez haut.

ASTUCE : si le riz est trop sec, vous pouvez rajouter un peu de lait.

CONGOLAIS

Pour 4 personnes
Préparation : 10 minutes
Cuisson : 20 minutes

200 g de noix de coco râpée *
50 g de poudre d'amandes
(facultatif) * 150 g de sucre
cristallisé * 1 cuillerée à café
d'essence de vanille * 1 citron
vert * 3 œufs

Mélangez bien la noix de coco râpée, la
poudre d'amandes et le sucre. Ajoutez
l'essence de vanille, le zeste de citron râpée et les œufs battus. Disposez la préparation en forme de rochers sur une plaque bien beurrée. Enfournez 20 minutes
à 180 °C (th. 6).

TARTE À LA BANANE

Pour 4 à 6 personnes
Préparation : 25 minutes
Cuisson : 35 minutes

5 bananes–dessert (figue
ou macanguia) * 2 œufs *
3 cuillerées à soupe de crème
fraîche * 30 g de sucre en poudre *
2 cuillerées à café d'essence
de vanille * 2 cuillerées
à soupe de gelée de groseilles

Pour la pâte brisée
200 g de farine *
100 g de beurre *
1 œuf * 1 cuillerée
à café d'essence de vanille

Préparez une pâte brisée : mélangez la farine
avec le beurre ramolli et liez le tout avec l'œuf et la
vanille. Étalez la pâte obtenue dans votre moule.
Disposez sur votre pâte les bananes–dessert
coupées dans le sens de la longueur. Versez
sur les bananes les œufs battus mélangés à la
crème fraîche, au sucre et à la vanille. Enfournez à four chaud à 230 °C (th. 8), puis à four
moyen à 180 °C (th. 6) pendant 35 minutes.
Lorsque la tarte est cuite, vous pouvez la glacer avec de la gelée de groseilles fondues.

TARTE À L'ANANAS

Pour 4 à 6 personnes
Préparation : 40 minutes
Cuisson : 35 minutes

1 ananas coupé en rondelles
ou 1 boîte d'ananas en rondelles

Pour la pâte brisée
200 g de farine *
100 g de beurre * 1 œuf

Pour la crème pâtissière
50 g de sucre en poudre *
1 œuf * 1 cuillerée à café
de farine * 1 verre de lait *
1 cuillerée à café d'essence
de vanille * 2 cuillerées
à soupe de rhum vieux

Préparez la pâte brisée avec les ingrédients. Étalez la pâte dans le moule et faites-la cuire après l'avoir piquée avec une fourchette pour qu'elle ne gonfle pas.

Préparez la crème pâtissière : dans un saladier, travaillez le sucre et le jaune d'œuf à l'aide d'un fouet, jusqu'à ce que le mélange devienne crémeux et presque blanc. Ajoutez la farine puis versez progressivement le lait bouillant aromatisé avec la vanille et le rhum. Faites cuire la préparation à feu doux, en remuant sans cesse à l'aide d'une cuillère en bois jusqu'à ce que la crème prenne consistance. Épluchez l'ananas, retirez le cœur, puis coupez-le en rondelles.

Garnissez votre pâte cuite de crème pâtissière refroidie et d'ananas légèrement caramélisé à la poêle, avec du beurre et du sucre. Disposez les tranches en forme de soleil.

Au dernier moment, vous pouvez colorer la tarte avec un caramel léger. Pour cela, faites fondre le sucre en poudre à feu doux, jusqu'à l'obtention d'une coloration.

ASTUCE : vous pouvez utiliser une pâte sablée toute faite.

TARTE AU COCO

Pour 4 à 6 personnes
Préparation : 25 minutes
Cuisson : 35 minutes

200 g de noix de coco râpée *
100 g de sucre en poudre *
1 citron vert * écorce
de cannelle * 2 blancs d'œufs

Pour la pâte brisée
200 g de farine *
100 g de beurre * 1 œuf

Préparez la pâte brisée : dans un saladier, mélangez la farine, le beurre et liez avec l'œuf. Laissez reposer 1 heure puis, à l'aide d'un rouleau à pâtisserie, étalez la pâte dans le moule.

Dans un saladier, mélangez le sucre, la noix de coco, la cannelle et le citron râpés. Montez les blancs d'œufs en neige. Incorporez-les délicatement à la préparation. Enfournez 35 minutes à 180 °C (th. 6).

TARTE AUX MANGUES
1ᴱᴿᴱ RECETTE

Pour 4 à 6 personnes
Préparation : 30 minutes
Cuisson : 35 minutes

6 mangues * 2 œufs *
3 cuillerées à soupe
de crème fraîche *
30 g de sucre en poudre

Pour la pâte brisée
200 g de farine *
100 g de beurre * 1 œuf

Préparez la pâte brisée : dans un saladier, mélangez la farine et le beurre, puis liez avec l'œuf. Laissez reposer 1 heure, puis étalez la pâte à l'aide d'un rouleau à pâtisserie. Pelez les mangues et coupez-les en « palettes », sous formes de tranches. Disposez-les sur la pâte. Battez les œufs entiers avec la crème fraîche et le sucre, puis versez le mélange sur les mangues. Enfournez 35 minutes à four chaud à 210 °C (th. 7).

TARTE AUX MANGUES
2ᴱᴹᴱ RECETTE

Pour 4 à 6 personnes
Préparation : 30 minutes
Cuisson : 15 minutes

6 mangues

Pour la pâte sablée
2 jaunes d'œufs durs *
60 g de sucre en poudre *
150 g de farine *
120 g de beurre *
1 cuillerée à café d'essence
de vanille (facultatif)

Préparez la pâte sablée : écrasez les jaunes d'œufs avec le sucre en poudre. Lorsque le mélange est homogène, jetez la farine puis incorporez le beurre ramolli mais non fondu. Pétrissez le tout et aromatisez avec de l'essence de vanille. Laissez reposer la pâte 2 heures avant de l'étaler à l'aide d'un rouleau à pâtisserie. Piquez-la à l'aide d'une fourchette. Enfournez et faites cuire 15 minutes à 150 °C (th. 5). Laissez-la refroidir. Déposez les mangues au moment de servir.
Vous pouvez aussi faire fondre un peu de confiture de mangues pour glacer la tarte.

BANANES FLAMBÉES

Pour 4 personnes
Préparation : 10 minutes
Cuisson : 10 minutes

6 bananes–dessert
(figues mûres ou macanguia) *
40 g de beurre *
125 g de sucre en poudre *
poudre de cannelle *
1 verre de rhum vieux

Épluchez les bananes et coupez–les en deux dans le sens de la longueur. Faites–les poêler dans le beurre fondu tiède. Faites–les dorer de chaque côté et saupoudrez–les de sucre et de cannelle. Lorsqu'elles sont caramélisées, arrosez–les de rhum préalablement chauffé. Faites–les flamber avant der servir.

ASTUCE : vous pouvez remplacer le sucre en poudre par 3 cuillerées à soupe de sirop de sucre de canne et parsemer les bananes de zeste de citron vert râpé avant de les arroser.

MOUSSE DE BANANES

Pour 4 personnes
Préparation : 20 minutes
Cuisson : 15 minutes

5 bananes–dessert
(figues mûres ou macanguia) *
50 cl de lait * 100 g de sucre
en poudre * 3 œufs *
1 cuillerée à soupe
de Cointreau® * 1 cuillerée
à soupe d'essence de vanille

Épluchez les bananes. Écrasez–les à l'aide d'une fourchette et passez–les au mixeur. Faites fondre le sucre dans le lait chaud vanillé puis laissez refroidir. Ajoutez les jaunes d'œufs battus et le Cointreau® sur les bananes et versez peu à peu le lait aromatisé. Battez les blancs en neige très ferme et incorporez–les à la mousse de bananes juste avant de la faire dorer 15 minutes au four à 180 °C (th. 6).

BEIGNETS DE BANANES JAUNES

Pour 4 personnes
Préparation : 30 minutes
Cuisson : 5 à 10 minutes

100 g de sucre en poudre *
2 bananes jaunes bien mûres
ou 3 bananes–dessert

Pour la pâte à beignets
150 g de farine * 1 œuf entier *
1 cuillerée à soupe d'huile *
1 pincée de poudre de cannelle *
1 verre de lait * 1 cuillerée
à soupe de rhum vieux *
1 blanc d'œuf * 1 pincée de sel

Préparez la pâte à beignets : versez la farine au fond d'un saladier. Incorporez l'œuf, l'huile, du sel, la poudre de cannelle, le lait et le rhum. Laissez reposer 1 heure environ après avoir incorporé les bananes bien écrasées à l'aide d'une fourchette.
Juste avant de faire vos beignets, ajoutez à la pâte 1 blanc d'œuf battu en neige, pour la rendre plus légère.
Faites cuire les beignets 5 à 10 minutes dans un bain de friture bien chaud et saupoudrez–les de sucre en poudre.

ANANAS SURPRISE

Pour 4 à 6 personnes
Préparation : 35 minutes

1 bel ananas * 2 oranges *
1 chadec * 1 ou 2 belles
mangues * 2 bananes *
100 g de sucre en poudre *
1 cuillerée à café de poudre
de cannelle * 1 cuillerée
à café d'essence de vanille *
1 cuillerée à café d'essence
de noyaux (amandes amères) *
2 cuillerées à soupe de rhum
vieux * quelques cerises
des Antilles, ou cerises au
sirop, ou de cerises confites *
quelques litchis frais
ou en boîte

Coupez l'ananas en deux, dans le sens de la
longueur, feuilles comprises. Creusez l'intérieur en évitant de percer l'écorce. Coupez la
chair de l'ananas, des oranges, du chadec et
des mangues en dés. Coupez les bananes
en rondelles. Faites macérer les fruits avec
le sucre, la poudre de cannelle, l'essence de
vanille et de noyaux et le rhum vieux. Remplissez les écorces d'ananas de cette salade
et décorez avec quelques cerises et litchis.
Servez bien glacé.
Vous pouvez également faire une salade de
fruits antillais sans cette préparation et choisir
les fruits que vous voulez.

ANANAS VANILLÉ

Pour 4 personnes
Préparation : 15 minutes

1 ananas bien frais ou 1 boîte *
1 verre de vin rouge * écorce
ou poudre de cannelle *
muscade * 1 gousse
ou 2 cuillerées à soupe
d'essence de vanille *
100 g de sucre en poudre

Coupez l'ananas en rondelles et retirez le
cœur. Faites-le macérer dans le vin rouge
avec la cannelle, la muscade en petite quantité, et la vanille. Saupoudrez le tout de sucre
de canne et réservez au réfrigérateur.

SALADE D'AVOCATS AUX BANANES

Pour 4 personnes
Préparation : 10 minutes

2 bananes-dessert * 2 avocats *
4 cuillerées à soupe de crème
fraîche * 2 citrons verts *
50 g de sucre en poudre *
1 cuillerée à soupe de rhum
blanc (facultatif)

Coupez les bananes en fines rondelles.
Pelez les avocats et coupez-les en dés.
Délayez la crème fraîche avec le jus d'un
sez le tout sur les fruits coupés. Arrosez de
rhum blanc, si vous le désirez, et d'un autre
jus de citron vert pour que l'avocat ne noircisse pas. Servez bien frais.

CRÈME D'AVOCAT

Pour 4 personnes
Préparation : 10 minutes

4 avocats * 4 citrons verts *
4 cuillerées à soupe de rhum
blanc * 150 g de sucre en
poudre

Épluchez les avocats. Réduisez-les en purée au mixeur en ajoutant le jus des citrons verts, le rhum blanc et le sucre en poudre. Mettez la préparation dans un compotier ou des coupes individuelles en arrosant de citron pour éviter que la crème noircisse. Ne préparez pas le dessert trop en avance et réservez-le 1 heure au réfrigérateur.

CRÈME BLANCHE

Pour 4 personnes
Préparation : 10 minutes
Cuisson : 6 minutes

La crème est traditionnelle, le soir, dans beaucoup de familles antillaises.

50 cl de lait * 1 cuillerée
à café d'essence de vanille ou
1 gousse de vanille *
120 g de sucre en poudre *
écorce de cannelle *
1 citron vert * 1 à 2 cuillerées
à soupe de Maïzena®
ou de farine de maïs
ou de fécule de pommes de terre

Faites bouillir le lait avec la vanille, le sucre en poudre, la cannelle et le zeste du citron râpé. Faites épaissir avec la Maïzena® délayée dans un peu de lait froid. Laissez cuire la crème 1 minute. Versez-la dans des ramequins individuels puis réservez au frais.
On l'appelle « crème blanche » parce qu'elle est parfumée à la vanille mais vous pouvez faire cette crème aromatisée au cacao, au café en poudre, au caramel, etc.

CRÈME AUX VERMICELLES

Pour 4 personnes
Préparation : 10 minutes
Cuisson : 15 minutes

50 cl de lait * 2 cuillerées
à café d'essence de vanille
ou 1 gousse de vanille * 1 citron
vert * cannelle * 2 cuillerées
à soupe de vermicelles *
1 cuillerée à soupe de Maïzena®

Faites bouillir le lait avec la vanille, le zeste du citron râpé et la cannelle. Faites cuire les vermicelles 10 minutes environ dans le lait en ajoutant la Maïzena® délayée dans un peu de lait froid. Versez la crème dans des coupes et servez-la glacée.
On a coutume, dans les familles martiniquaises, de donner cette crème aux enfants le soir.

NÉGRESSE EN CHEMISE

250 g de chocolat à cuire *
3 cuillerées à café de sucre
en poudre * 1 cuillerée à café
d'extrait de café (facultatif) *
125 g de beurre * 3 jaunes
d'œufs

Pour la crème anglaise
50 cl de lait * 1 cuillerée
à soupe d'essence de vanille *
3 jaunes d'œufs *
180 g de sucre en poudre *
1 pincée de Maïzena® *
1 cuillerée à café d'essence
de noyaux (amandes amères)

Pour 4 personnes
Préparation ; 30 minutes
Cuisson : 10 minutes
Repos : 12 heures

La veille : dans un récipient au bain-marie ou au micro-ondes, faites fondre le chocolat avec le sucre en poudre et un peu d'eau. Si vous le souhaitez, vous pouvez ajouter 1 petite cuillerée d'extrait de café. Incorporez le beurre ramolli et les jaunes d'œufs. Lorsque le mélange est bien fondu, passez-le quelques secondes au mixeur afin que le chocolat éclaircisse légèrement. Si vous avez la possibilité, mettez la préparation dans un moule conique avant de la placer au congélateur.

Le jour même, préparez la crème anglaise : faites bouillir le lait avec l'essence de vanille. Pendant ce temps, mélangez les jaunes d'œufs avec le sucre en poudre à l'aide d'une cuillère en bois jusqu'à l'obtention d'un mélange crémeux et blanc. Pour plus de sûreté, ajoutez une légère pincée de Maïzena®. Versez progressivement le lait bouillant sur la préparation en remuant sans cesse. Remettez le tout sur le feu quelques instants, surtout sans laisser bouillir. Tournez en formant des 8 avec la cuillère en bois. Au premier frémissement, retirez la crème du feu et laissez-la refroidir. Ajoutez l'essence de noyaux et réservez-la au réfrigérateur.

Après l'avoir démoulé, disposez au sommet une petite tête de poupée antillaise, coiffée d'un madras, puis arrosez d'une crème anglaise.

PÂTÉS CANNELLE

Pour 4 personnes
Préparation : 20 minutes
Cuisson : 25 minutes

On appelle pâtés cannelle, des friands à la confiture de bananes, d'abricots, de goyaves, de mangues, etc.

4 cuillerées à soupe
de marmelade de goyaves *
poudre de cannelle *
1 jaune d'œuf

Pour la pâte brisée
200 g de farine *
100 g de beurre *
1 pincée de sel

Préparez la pâte brisée : dans un saladier, mélangez la farine, le beurre ramolli, et le sel. Liez avec un peu d'eau. Faites des pâtés en forme de croissants. Remplissez-les de confiture de goyaves, ou d'autres fruits, parfumée avec 1 pincée de poudre de cannelle, si vous le désirez.
Refermez les pâtés, décorez-les de croisillons faits au couteau et dorez-les avec un jaune d'œuf. Faites-les cuire 20 minutes à four moyen, à 180 °C (th. 6).
Vous pouvez également faire les pâtés cannelle avec de la pâte feuilletée.

PARFAIT ALLIGATOR

Pour 4 à 6 personnes
Préparation : 30 minutes
Cuisson : 12 heures

4 avocats * 4 citrons verts *
1 verre à liqueur de rhum blanc
* 4 jaunes d'œufs *
60 g de sucre en poudre *
1 pot à crème fraîche de 20 cl *
1 paquet de langues de chat *
violettes en sucre * ½ paquet
de sucre vanillé

La veille : épluchez les avocats. Passez-les au mixeur avec le jus des citrons verts. Ajoutez le rhum, les jaunes d'œufs, le sucre en poudre et la moitié du pot de crème fraîche. Mélangez bien le tout et mettez dans un récipient à cet effet au congélateur, pour que la préparation devienne consistante.
Le jour même : démoulez le parfait. Entourez-les de langues en les piquant verticalement. Décorez de violettes en sucre.
Préparez une crème chantilly en battant le reste de crème fraîche avec un peu de lait, de sucre en poudre et de sucre vanillé. Remplissez une poche à douille de cette crème et garnissez-en le parfait.

SORBETS

Le climat et la variété des fruits font que les sorbets sont très appréciés aux Antilles ! On trouve une sorbetière à manivelle dans de nombreuses familles ; vous pouvez utiliser également une sorbetière électrique ou tout simplement un moule spécial micro-ondes et congélateur.

Pour cette dernière solution, vous aurez soin de battre toute les 30 minutes, à l'aide d'une fourchette, la préparation du sorbet afin que des glaçons ne se forment pas. Pour faire de bons sorbets, vous avez besoin de 50 cl de jus de fruit (les fruits seront passés au mixeur), 200 g de sucre de canne à dissoudre dans le jus de fruits. Aromatisez suivant le goût et les fruits, avec le jus de citrons verts, la cannelle et la vanille. Vous pouvez également mélanger certains fruits comme la goyave et l'ananas ($^3/_4$ d'ananas et $^1/_4$ de goyave).

SORBET À L'ANANAS

Pour 4 personnes
Préparation : 15 minutes
Réfrigération : 3 heures

1 ananas ou 50 cl de jus *
200 g de sucre en poudre *
1 cuillerée à soupe d'essence de vanille * 1 cuillerée à soupe de rhum vieux

Passez l'ananas au mixeur avec le sucre. Ajoutez la vanille et le rhum vieux. Mettez le tout dans la sorbetière ou dans un moule spécial au congélateur.

SORBET AU COROSSOL

Pour 4 personnes
Préparation : 20 minutes
Réfrigération : 3 heures

1 ou 2 beaux corossols
(pour obtenir 50 cl de jus) *
200 g de sucre en poudre *
1 citron vert * écorce de cannelle
(facultatif) * 1 cuillerée à soupe
d'essence de vanille

Épluchez les corossols en ayant soin de retirer les pépins avant de les passer au mixeur avec le sucre, le jus ou le zeste râpé du citron, la cannelle et la vanille. Battez bien le tout et mettez dans une sorbetière ou dans un moule prévu à cet effet au congélateur.
Vous pouvez également faire une glace avec ½ boîte de lait concentré sucré ou 50 cl de crème anglaise, les corossols mixés, la vanille, le jus ou le zeste râpé d'un citron vert, un peu de cannelle et éventuellement quelques pommes lianes. Battez bien le tout au mixeur et réservez au congélateur.

SORBET COCO

Pour 4 personnes
Préparation : 25 minutes
Cuisson : 10 minutes
Réfrigération : 3 heures

1 belle noix de coco ou
300 g de noix de coco râpée *
50 cl de lait * écorce de cannelle *
1 gousse ou 1 cuillerée à café
d'essence de vanille *
150 g de sucre en poudre

Faites bouillir 10 minutes le lait avec la cannelle, la vanille, le sucre et la noix de coco râpée. Passez le lait et pressez la pulpe de coco dans un linge pour en extraire le suc. Battez bien le mélange et réservez au congélateur dans une sorbetière ou dans un moule spécial.

AUTRES SORBETS

De la même manière, faites des sorbets :
– à la prune de cythère en aromatisant avec de la vanille et du jus de citron vert
– à l'abricot–pays (aromates : cannelle, vanille, citron vert)
– à la goyave (vanille, citron vert, cannelle)
– à la maracudja (citron vert)

GLACE COCO

Pour 4 personnes
Préparation : 25 minutes
Cuisson : 10 minutes
Réfrigération : 3 heures

300 g de noix de coco râpée *
50 cl d'eau * 1 gousse ou
1 cuillerée à soupe d'essence
de vanille * 1 citron vert *
écorce de cannelle *
½ boîte de lait concentré sucré *
essence de noyaux (amandes
amères)

Faites bouillir l'eau avec la vanille, le zeste
du citron et la cannelle (quelques morceaux
d'écorce) et versez sur le coco râpé. Faites
macérer 1 heure puis passez le lait obtenu au
chinois (coco râpée + eau aromatisée) et incorporez bien le lait concentré sucré, la vanille,
la cannelle et l'essence de noyaux d'amandes
selon votre goût. Réservez au congélateur dans
une sorbetière ou dans un moule à glaces. Vous
pouvez aussi simplifier en mélangeant 50 cl de
crème anglaise à 300 g de noix de coco râpée.

GLACE AUX PRUNEAUX

Pour 4 personnes
Préparation : 20 minutes
Réfrigération : 3 heures

250 g de pruneaux *
½ boîte de lait concentré sucré *
50 cl de lait concentré non
sucré * 1 verre d'eau * 1 verre
de rhum

Dénoyautez les pruneaux. Écrasez-les à
l'aide d'une fourchette et passez-les au
mixeur avec le lait sucré et non sucré, l'eau et le
rhum. Quand le mélange est bien homogène,
réservez au congélateur dans une sorbetière
ou dans un moule prévu à cet effet.

GLACE À LA BANANE

Pour 4 personnes
Préparation : 25 minutes
Cuisson : 5 minutes
Réfrigération : 3 heures

4 bananes (figues bien mûres) *
25 cl d'eau * 250 de sucre en
poudre * 1 verre de rhum vieux *
2 citrons verts

Faites chauffer l'eau et le sucre. Quand le
mélange épaissit, ajoutez le rhum et le jus
des citrons. Versez cette préparation sur les
bananes écrasées à l'aide d'une fourchette.
Laissez macérer 1 heure. Mélangez la préparation au mixer et réservez au congélateur
dans une sorbetière ou dans un moule spécial.

CHOCOLAT DE PREMIÈRE COMMUNION OU « CHAUDEAU »

Aux Antilles, la Première Communion est marquée par son « chocolat » (ou « chaudeau » à la Guadeloupe), servi aux enfants après la cérémonie. Il est généralement accompagné d'un « pain au beurre », sorte de pain au lait de grande taille aux formes multiples. En Martinique, on déguste le chocolat de Première Communion dans les familles. En Guadeloupe, la cérémonie s'extériorise plus, puisque les communiants trouvent, dès la sortie de l'église, des gâteaux, des friandises et le chaudeau. Vous pouvez le préparer pour des goûters d'enfants ou pour des petits déjeuners de fête.

1ᴱᴿᴱ RECETTE

Pour 4 personnes
Préparation : 10 minutes
Cuisson : 10 minutes

1 litre de lait * 1 gousse ou
1 cuillerée à soupe d'essence
de vanille * 1 cuillerée à soupe
d'essence de banane *
1 citron vert * 1 morceau
d'écorce de cannelle *
250 g de sucre en poudre *
5 cuillerées à soupe
de cacao en poudre *
2 cuillerées à soupe
de Maïzena® *
200 g d'amandes effilées

Dans une casserole, faites bouillir le lait. Ajoutez la vanille, l'essence de banane, le zeste du citron vert râpé, la cannelle, le sucre et le cacao. Délayez la Maïzena® dans une petite quantité de lait froid et incorporez-le au lait aromatisé bouillant.
Laissez frémir quelques secondes. Présentez dans un grand récipient recouvert d'amandes effilées, grillées quelques secondes au four. Servez dans des bols ou de grandes tasses à l'aide d'une louche.

2ᴱᴹᴱ RECETTE

Pour 8 à 10 personnes
Préparation : 15 minutes
Cuisson : 40 minutes

150 g de beurre *
250 g de chocolat à croquer *
1 bâton de cacao (facultatif) *
3 boîtes de lait concentré sucré *
2 litres d'eau * 1 cuillerée
à soupe d'essence de vanille *
1 pincée de cannelle *
2 pincées de muscade râpée *
2 cuillerées à soupe de Maïzena®
* amandes effilées

Faites fondre à feu doux ou au micro-ondes le beurre et le chocolat. Vous pouvez ajouter 2 cuillerées à soupe de bâton de cacao râpé. Versez progressivement le lait, puis l'eau en remuant sans cesse.
Faites cuire 20 minutes à feu doux, en incorporant la vanille, la cannelle et la muscade. Délayez la Maïzena® dans un ½ verre d'eau froide et incorporez petit à petit à la préparation. Laissez 20 minutes à feu très doux. Faites griller les amandes effilées quelques secondes à four chaud à 200 °C (th. 7-8). Parsemez de chocolat avant de séduire.

CONFISERIES

NOUGAT PISTACHE

Pour 4 personnes
Préparation : 15 minutes
Cuisson : 5 minutes

On appelle pistaches, aux Antilles, les cacahuètes grillées. Vous pouvez aussi réaliser cette recette avec des amandes, des noix ou de vraies pistaches.

250 g de sucre de canne
ou 25 cl de sirop de batterie
que l'on achète en bouteille *
300 g de pistaches grillées *
1 citron vert

Faites fondre le sucre de canne avec le jus de citron vert à feu doux, en remuant sans cesse avec une cuillère en bois. Lorsqu'il devient blond, ajoutez les pistaches grillées décortiquées et laissez cuire en remuant 5 minutes environ.
Faites couler le nougat sur 1 cm d'épaisseur sur du marbre ou une tôle huilée. Coupez en carré de 4 cm environ avant que le nougat soit complètement refroidi.

TABLETTES COCO

Pour 4 personnes
Préparation : 10 à 30 minutes
Cuisson : 10 minutes

½ noix de coco sec ou
250 g de noix de coco râpée *
150 g de sucre de canne
ou en poudre * écorce ou poudre
de cannelle * 1 citron vert *
1 cuillerée à soupe d'essence
de vanille et de noyaux
(amandes amères)

Cassez l'écorce de coco sec et râpez le blanc. Malaxez le coco râpé, le sucre, la cannelle, le zeste du citron râpé, l'essence de vanille et de noyaux. Mettez le tout sur feu doux en ajoutant un peu d'eau de coco, remuez sans cesse avec une cuillère en bois jusqu'à ce que la préparation prenne la couleur et la consistance du caramel. Retirez du feu et déposez les tablettes coco en plaques sur du papier huilé.

PEAU DE CHADEC CONFITE

Préparation : 25 minutes
Cuisson : 30 minutes
Macération : 3 jours

Le chadec est une variété de gros pamplemousse que l'on trouve aux Antilles. Sa peau épaisse est utilisée en confiserie.

1 chadec *
250 g de sucre en poudre *
50 g de sucre cristallisé

Épluchez et retirez le zeste du chadec. Coupez en tranches la peau blanche qui se trouve entre le zeste et le fruit et faites-le tremper 2 jours dans l'eau salée. Changez l'eau tous les jours. Le troisième jour, ne salez pas l'eau. Égouttez la peau du chadec. Faites-la bouillir jusqu'à ce qu'elle soit cuite et incorporez-la à un sirop de sucre de canne très épais (1 cm de sucre pour 2 cm d'eau). Laissez cuire sur feu très doux. Le chadec ne doit pas se colorer, il doit absorber la totalité du sirop. Roulez-le dans du sucre cristallisé et faites-le sécher au soleil, jusqu'à ce qu'il soit confit. Consommez-le très sec.

FRUITS

On découvre, sur le sol antillais, de très grandes variétés de fruits exotiques, parfumés et colorés. Il faut savoir les choisir et les éplucher pour bien les déguster.

L'ABRICOT-PAYS

L'abricot des Antilles, de la taille d'un petit melon, ne ressemble pas à celui d'Europe bien que sa chair ait la même couleur. Il est plus ferme et sa mange bien mûr. On l'utilise en confiture et surtout en sorbet et en jus. Pour l'éplucher, il faut laisser une peau épaisse et retirer les parties blanches qui rentrent dans la pulpe du fruit, car elles ont des vertus très laxatives. On le trouve particulièrement en période sèche, de mars à juin, sur les marchés ou sur les arbres. Vous le choisirez ferme mais mûr.

L'ANANAS

C'est le plus connu des fruits exotiques et on le trouve pratiquement toute l'année aux Antilles. Il doit sentir le sucre à la base pour être bien parfumé. Pour savoir s'il est mûr, il faut pouvoir retirer facilement une feuille centrale de son panache. Comme il est plus sucré à sa base, il est recommandé de le couper dans le sens de la longueur. Toutefois, pour certaines préparations, comme pour les tartes, on le présente en rondelles. On le sert également en jus, ce qui est une bonne façon d'utiliser un ananas peu sucré.

LES BANANES

Parmi les bananes–dessert, on trouve aux Antilles des variétés trop fragiles pour être exportées : la figue–pomme, de taille moyenne mais ventrue, à la saveur acidulée et la macanguia, de bonne taille et très fragile qui est la reine des bananes pour la finesse de sa chair.
La figue–mûre, la plus courante, peut être acheminée et vendue sur les marchés métropolitains.
Aux Antilles, on trouve des bananes toute l'année. On ne les choisit pas trop faites, car avec le climat, elles mûrissent très vite.

LA CAÏMITE (OU CAILLEMITE) ET LA BRIE

La caillemite a la taille d'une pêche et la peau verte ou violette. On la coupe en deux avec sa peau et on déguste à la cuillère sa chair laiteuse, en laissant de côté les pépins. On la choisit mûre. On la trouve très peu de temps, en période sèche, sur les marchés antillais. La brie est une caillemite plus petite à peau violette.

LE CHADEC

C'est un gros pamplemousse à la peau très épaisse. On le pèle en faisant des incisions sur la peau, en forme de quartiers, puis on détaille chaque tranche, en les ouvrant pour ne déguster que la pulpe, car la peau très amère se mange uniquement confite. Le pamplemousse rose est appelé « fruit défendu » des Antilles.

LE COCO

Il faut monter au sommet de l'arbre pour cueillir les grappes de noix. Cette opération est délicate, le coco ne doit pas éclater en tombant. On coupe la tête du jeune coco à l'aide d'un coutelas pour en recueillir l'eau, rafraîchissante et très agréable le matin au petit déjeuner. Puis, on le fend pour racler la crème de coco (mince pellicule légèrement gélatineuse) appelée « nan-nan ». Quand le coco vieillit, cette crème devient dure et sèche et on l'utilise râpée pour les pâtisseries, les glaces ou les sorbets. Lorsque l'on expurge le jus de coco râpé à l'aide d'un linge, on obtient le lait de coco. On trouvera toute l'année des cocos en abondance.

LE COROSSOL

C'est un fruit à la peau verte avec quelques aspérités, à la chair blanche un peu molle et cotonneuse, truffée de pépins noirs. Il est délicieux en jus ou en tranches, avec la peau, et on le déguste à la cuillère. On le trouve toute l'année et particulièrement de décembre à mai.

Les feuilles du corossol s'utilisent, mélangées à d'autres herbes, en infusion pour calmer les nerfs ! C'est d'ailleurs pour cette raison que l'on ajoute quelques feuilles de corossol dans le bain du soir des jeunes enfants, afin qu'ils s'endorment facilement ! On se frotte également les mains avec ses feuilles pour se débarrasser des odeurs inopportunes de poissons ou de crustacés.

LA GOYAVE

Il en existe plusieurs variétés. Dégustées en fruit toute l'année, elles sont surtout appréciées en confiture, gelée, marmelade et même en confiserie (pâte de goyave). Le jus très réputé, est la base du planteur et lui donne son onctuosité.

LE LETCHI OU LITCHI

On dit que le letchi ne produit que tous les sept ans, ce qui explique la rareté de ce fruit tant apprécié. On goûtera sa saveur en fin d'année pendant très peu de temps. Il faut le choisir rouge, retirer son écorce granuleuse pour découvrir un fruit translucide et juteux autour d'un important noyau, brun et lisse. On peut aussi utiliser les letchis de conserve pour les salades de fruits.

hadec

Corossol

Goyave

Coco

Litchi

Mangue

Maracudja

Papaye

Orange

LA MANDARINE

Elle est très parfumée et aune peau verte et orangée. Certaines variétés mêmes mûres, gardent leur peau verte et sont particulièrement sucrées, comme les green-skin.

LES MANGUES

On trouve de nombreuses variétés de mangues. Les plus appréciées sont entre autres : la mangue julie, amélie, zéphrine. Elles sont abondantes surtout d'avril à juillet. Sans ôter la peau, on coupe des joues de chaque côté du noyau. Avec un couteau, on pratique des incisions en dés et on déguste la pulpe onctueuse et crémeuse à la petite cuillère. La mangue est alors épluchée « en fleur » (voir lexique).

Les mangots, plus petits, à la chair moins fine et parfois filandreuse, sont aussi très parfumés. Le mangot bassignac se pèle de la tête aux pieds (du sommet vers la base) car de cette façon, on évite les filaments ; puis on le coupe en lamelles. Très mûr, il a un goût alcoolisé, on l'appelle mangot rhum.

Les mangotines, encore plus petites, aux noms charmants comme la mangotine à la rose (aux joues roses et piquées de tâches de rousseur !), font le délice des gourmets. La plupart des mangues peuvent être achetées un peu vertes et mûrir enveloppées dans une feuille de journal. On trouve particulièrement d'avril à juillet la mangue julie ainsi que le mangot bassignac et un peu plus tard les autres. Il est impossible d'apprécier une mangue sans y mettre les doigts ! C'est pour cette raison que vous trouverez un petit lavabo appelé « lave-mains » dans toutes les salles à manger antillaises.

LA MARACUDJA

La maracudja (ou fruit de la passion) est ronde, a la peau lisse et épaisse, et une chair translucide qui englobe un grand nombre de pépins. Elle est destinée en général à la préparation de jus ou de sorbets. C'est une liane parasite que l'on trouve toute l'année.

L'ORANGE

L'orange antillaise, à la peau épaisse, est grosse et peut rester verte, même mûre. Elle est très sucrée et juteuse. On la trouve maintenant presque toute l'année. On peut l'éplucher de différentes manières. Soit on retire le zeste en formant une spirale avec un couteau et on la coupe en deux comme pour la presser, on aspire ensuite le jus en laissant la peau blanche épaisse. Soit, toujours en enlevant le zeste en spirale, on tranche trois palettes verticalement pour laisser au centre les pépins. On coupe alors l'orange « à la demoiselle ».

LA PAPAYE

En dessert, la papaye se mange bien mûre. On la cisèle pour faire sortir le lait afin de lui retirer son amertume puis on la coupe avec la peau comme un melon. On la trouve également toute l'année.

LA POMME CAJOU

Ce fruit rouge ou jaune a la forme d'une poire et se termine par une noix. À l'intérieur de cette noix se trouve une amande que l'on fait griller, c'est la noix de cajou. Le fruit, lui–même, à une saveur acidulée et des propriétés enivrantes. On trouve la pomme cajou de juin à août.

LA POMME CANNELLE

Pour beaucoup, c'est le meilleur fruit des Antilles. Sa peau présente des écailles molles. On ouvre le fruit bien mûr avec les deux mains et on prélève sa chair onctueuse à l'aide d'une petite cuillère, en laissant de côté les pépins et en ayant soin de ne pas racler trop profondément car la chair près de la peau est un peu sableuse. La pomme cannelle est surtout abondante de mai à septembre.

LA POMME LIANE

Elle doit son nom à la liane sur laquelle elle pousse. Elle est ovale et de couleur jaune. On coupe une des extrémités pour faire sortir la pulpe accrochée aux pépins. On les déguste ensemble, en croquant les pépins. La peau épaisse et veloutée ne se consomme pas. On trouve des pommes lianes aux Antilles toute l'année.

LA PRUNE DE CYTHÈRE

Cette prune ovale, très parfumée, a une peau fine et jaune quand elle est mûre. En l'épluchant, il faut laisser une peau épaisse, car la chair qui y adhère est très acide. Au centre, on trouve un noyau avec des épines en forme d'oursin. On la déguste surtout d'octobre à janvier en fruit, en jus, en souskaï quand elle est verte ou encore en confiture.

LA QUENETTE

C'est un fruit qui se présente en grappe et qui a la taille et la couleur d'un petit citron vert. On trouve une pulpe blanche acidulée autour d'un gros noyau.

LA SAPOTILLE

Elle a la forme d'une pomme de terre à la peau lisse, fine et dorée. Sa chair jaune, très parfumée, fond dans la bouche.

LE TAMARIN

Le tamarin n'est pas un fruit que l'on sert au dessert. On suce simplement comme du chewing–gum, la chair qui entoure le noyau et que l'on trouve à l'intérieur d'une écorce. La pulpe a un effet purgatif.

potille

Tamarin

mme Cajou

CONFITURES

Aux Antilles, les confitures préparées chez soi, ne sont pas destinées à être conservées, mais à être dégustées en dessert. Elles peuvent néanmoins se garder plusieurs jours au réfrigérateur.

CONFITURE DE GOYAVES

Pour 6 à 8 personnes
Préparation : 10 minutes
Cuisson : 35 minutes

Cette préparation sera valable pour les acras aux poissons ainsi que pour les acras aux légumes.

500 g de goyaves bien mûres * 1 verre d'eau * 500 g de sucre en poudre * 1 gousse de vanille * écorce de cannelle

Coupez les goyaves en deux. Faites-les bouillir 5 minutes avec 1 verre d'eau. Vous pouvez retirer les pépins, vous obtiendrez une confiture « Z'oreilles mulâtres ! ». Ajoutez le sucre, la gousse de vanille fendu en deux et un peu d'écorce de cannelle. Laissez cuire 30 minutes environ. Mettez dans un compotier et servez, si vous le désirez, accompagné de crème fraîche.

GELÉE DE GOYAVES

Pour 6 à 8 personnes
Préparation : 40 minutes
Cuisson : 1 heure

500 g de goyaves bien mûres * 1,5 litre d'eau * même poids de sucre que le jus obtenu * 1 gousse de vanille * 1 écorce de cannelle

Faites bouillir 30 minutes les goyaves pelées et coupées en morceaux dans une grande quantité d'eau avec les pelures qui serviront avec la chair des goyaves à la préparation de la marmelade. Passez au chinois pour recueillir le jus. Mettez la même quantité de sucre que le liquide obtenu. Ajoutez la vanille, la cannelle et laissez cuire 30 minutes environ, en remuant sans cesse avec une cuillère en bois. Lorsque cette préparation commence à coaguler, la gelée est cuite. Versez-la dans des pots que vous pourrez conserver au frais plusieurs semaines.

MARMELADE DE GOYAVES

Passez au moulin à légumes la chair et la peau des goyaves cuites pour la gelée. Mettez cette préparation 1 h 30 à feu doux avec le même poids de sucre, une gousse de vanille et un morceau d'écorce de cannelle, en remuant afin que la marmelade n'attache pas.

PÂTE DE GOYAVES

On peut également faire de la pâte de goyaves en laissant réduire davantage la préparation de la marmelade. Étalez la pâte sur une tôle, découpez-la en dés ou en languettes que vous roulerez dans du sucre de canne ou du sucre cristallisé.

CONFITURE DE PAPAYES

Choisissez des papayes bien mûres. Lavez-les, épluchez-les et coupez-les en deux, puis ôtez les pépins. Émincez-les et faites-les bouillir 5 minutes dans l'eau. Égouttez-les. Faites un sirop avec le même poids de sucre que les papayes égouttées. Ajoutez 1 verre d'eau et 1 gousse de vanille ou de l'essence de vanille. Incorporez les papayes au sirop et laissez 30 minutes à feu doux, jusqu'à cuisson complète.

CONFITURE DE PRUNES DE CYTHÈRE

La veille : pelez les fruits bien mûrs sans craindre de laisser une peau épaisse car la chair collée à la peau est très amère. Ajoutez le même poids de sucre que les prunes et mouillez légèrement avec de l'eau. Faites cuire 40 minutes environ.

Vous serez obligé de manger cette confiture avec les doigts car vous aurez la surprise de trouver un noyau qui ressemble à un oursin aux longues épines. Que cela ne vous dérange pas, le goût en est très agréable !

Le jour même : faites cuire les fruits et leur jus que vous écumerez tout au long de la cuisson. Faites tomber une goutte de sirop dans un verre, si elle coagule et reste au fond, la cuisson est à point.

ASTUCE : la plupart des confitures dont nous vous donnons la recette, seront encore meilleures si vous laissez macérer les fruits coupés en morceaux avec leur même poids de sucre, le jus d'un citron vert et 1 cuillerée à café d'essence de vanille, toute une nuit. La macération donnera du jus.

CONFITURE D 'ABRICOTS-PAYS

Choisissez 1 bel abricot-pays. Épluchez-le en laissant une peau très épaisse. Avec la pointe d'un couteau, enlevez les parties blanchâtres et fibreuses qui pénètrent la pulpe du fruit. Coupez-la en morceaux. Faites cuire la confiture et ajoutez le même poids de sucre que de fruit et un peu d'eau pendant 35 minutes et en écrasant à la fourchette.

CONFITURE DE BANANES

4 bananes-figues mûres *
200 g de sucre en poudre *
1 orange * 1 citron vert *
1 cuillerée à soupe d'essence de vanille

Pour 4 personnes
Préparation : 10 minutes
Cuisson : 20 minutes

Épluchez les bananes puis écrasez-les à l'aide d'une fourchette. Recouvrez-les de sucre, ajoutez le jus d'une orange et d'un citron vert puis la vanille. Faites cuire à feu doux en remuant jusqu'à ce que le mélange devienne brun. La confiture peut se servir en compotier. Elle n'aura qu'une conservation limitée.
Vous pouvez aussi ajouter 1 pincée de cannelle à la confiture de bananes pour remplir les pâtés cannelle (voir recette p. 134).

CONFITURE DE COCO

1 noix de coco
ou 300 g de noix de coco râpée *
200 g de sucre de canne
ou en poudre * 1 verre d'eau *
1 citron vert * 1 cuillerée
à soupe d'essence de vanille

Pour 4 personnes
Préparation : 20 minutes
Cuisson : 20 minutes

Râpez la noix de coco. Faites bouillir le sucre de canne dans l'eau avec le zeste du citron vert et la vanille. Lorsque le sucre est complètement fondu, versez-le sur la noix de coco râpée. Remettez sur feu doux en remuant jusqu'à ce que la pulpe de coco devienne translucide. Cette confiture se conserve une dizaine de jours au réfrigérateur. Elle peut servir également à garnir des pâtés-coco, friands garnis de confiture de coco.

CONFITURE D'ORANGES

2 kg d'oranges *
1,5 kg de sucre * 25 cl d'eau

Préparation : 10 minutes
Cuisson : 40 minutes
Macération : 24 heures

La veille : lavez bien les oranges et faites-les tremper entières 24 heures dans un saladier d'eau froide.

Le jour même : égouttez-les avec soin et coupez-les en rondelles très fines sans les éplucher. Conservez les pépins dans une gaze. Faites cuire les rondelles d'orange couvertes d'eau avec la gaze et laissez-les bouillir jusqu'à ce qu'elles soient tendres sous la fourchette. Égouttez-les bien.

Faites chauffer le sucre et l'eau. Dès l'ébullition, incorporez les fruits et laissez cuire 20 à 25 minutes, jusqu'à ce que la peau des oranges devienne translucide. Répartissez la confiture dans un pot prévu à cet effet.

MARMELADE D'ORANGES

2 kg d'oranges * 1 citron vert *
75 cl d'eau * 1 kg de sucre

Préparation : 15 minutes
Cuisson : 1 h 20
Macération : 24 heures

La veille : lavez les oranges et le citron vert. Enlevez le zeste des fruits et coupez-le en fines lamelles. Ôtez et jetez la peau blanche. Séparez les quartiers, enlevez les pépins et conservez-les pour les faire cuire, dans une gaze, avec les fruits. Coupez grossièrement la pulpe des oranges et du citron vert. Faites macérer 24 heures le tout recouvert de 75 cl d'eau.

Le jour même : faites cuire cette préparation à petit feu pendant 1 heure environ, jusqu'à ébullition, puis laissez cuire encore 20 minutes jusqu'à ce que les zestes soient translucides. Répartissez la marmelade dans un pot prévu à cet effet.

CONFITURE DE CITRONS VERTS

Cuisson : 1 h 20
Macération : 3 jours

20 citrons verts *
1,2 kg de sucre en poudre *
1 grand verre d'eau *
1 gousse de vanille ou vanillon

Lavez soigneusement les citrons verts, coupez-les en deux et laissez-les tremper 3 jours dans l'eau froide, en renouvelant plusieurs fois l'eau de trempage.
Sans les éplucher, découpez-les en tranches très fines. Ôtez les pépins et conservez-les dans une gaze. Faites cuire les rondelles de citrons et les pépins le tout recouvert d'eau jusqu'à ce que la peau soit tendre. Égouttez-les et jetez le petit sac de pépins. Faites chauffer le sucre et le grand verre d'eau avec la gousse de vanille ouverte. Dès l'ébullition, ajoutez les tranches de citrons et laissez cuire jusqu'à ce que l'écorce du fruit soit translucide. Répartissez la confiture dans un pot prévu à cet effet.

CONFITURE DE PATATES DOUCES

Pour 4 personnes
Préparation : 10 minutes
Cuisson : 55 minutes

500 g de patates douces *
150 g de sucre en poudre *
25 cl d'eau * 1 cuillerée
à soupe d'essence de vanille

Coupez les patates épluchées en gros dés. Faites-les blanchir 10 minutes dans l'eau bouillante. Égouttez-les et ajoutez-les au sirop obtenu avec le sucre, l'eau et l'essence de vanille. Faites cuire 45 minutes à feu doux sans couvrir.

BOISSONS

LE RHUM

Fierté des Antilles, le rhum a une renommée mondiale et ses utilisations sont nombreuses. En dehors du « grog », très connu en Métropole, le punch est la manière la plus habituelle de le consommer aux Antilles.

On distingue le rhum blanc, incolore et le rhum vieux, brun foncé. C'est le vieillissement en fûts de chêne flambés qui lui donne sa couleur sombre.

Le rhum agricole (le plus apprécié quand il s'agit de rhum blanc) est obtenu en distillant du jus de la canne à sucre, le vesou.

Le rhum industriel se fait à partir de la mélasse, liquide sirupeux très sucré, résidu non cristallisable que l'on recueille lors de la fabrication du sucre. Le rhum industriel peut être de très bonne qualité, particulièrement parmi les « rhums vieux ».

LE COCO

Le coco est le fruit du cocotier. On trouve les cocos en grappe, au sommet de l'arbre, au milieu de ses palmes. Les grappes sont nombreuses sur un même cocotier et mûrissent au fur et à mesure. Les Antillais consomment volontiers « l'eau de coco » d'un jeune coco ou « coco en cuillère ». Cette eau incolore, à peine sucrée et très rafraîchissante, se boit à la paille après avoir tranché le haut de la noix. C'est en râpant et en pressant fortement la partie blanche et dure d'un coco sec, ou en la passant à la centrifugeuse, que l'on obtient le « lait de coco » utilisé en pâtisserie. Il est aussi délicieux dans un café très fort ou sur une glace au café ou au chocolat.

COCKTAILS

LE PUNCH

Il se sert en principe dans de petits verres, en faible quantité, car le rhum antillais titre 50° et plus. Le punch est fait à base de rhum vieux ou blanc, de sirop de sucre de canne ou de sirop parfumé aux fruits, de zeste de citrons verts, auxquels on ajoute éventuellement un peu de jus et de la glace.

La préparation du punch est en fonction du goût des convives. Certains l'aiment très sucré, d'autres très sec, comme le punch « ti–feu » qui ne contient que quelques gouttes de sirop de sucre de canne dont on aura nappé le verre en le renversant, avant de mettre le rhum. On verse toujours le sirop en premier, puis le rhum et enfin le citron vert. Il est important de mélanger le punch à la cuillère à punch, petite cuillère à long manche ou au « bâton lélé » avant d'y mettre les glaçons, car le sirop, en se refroidissant, s'épaissit et se mêle moins bien au rhum. La glace n'est toutefois jamais indispensable, certainsprétendant même que c'est elle qui « coupe les jambes » dans le punch !

De même que l'on boit le punch plus ou moins sucré, avec ou sans glace, de même, le citron est l'objet de subtils dosages. On peut se contenter du parfum donné par une cuillère ayant gratté le zeste de citron avec laquelle on remue le punch, ou si l'on préfère un goût prononcé de citron vert, utiliser une « palette ». C'est un zeste épais avec un peu de pulpe que l'on presse au–dessus du verre pour en extraire 4 à 5 gouttes de jus.

LE SIROP DE SUCRE DE CANNE

Le sirop de sucre de canne peut être acheté tout fait ou préparé à la maison en faisant fondre 0,5 cm de sucre de canne cristallisé couvert de 2,5 cm d'eau à feu doux. Laissez bouillir à feu doux en remuant à l'aide d'une cuillère en bois, jusqu'à ce que le sirop file sans se colorer.

Vous pouvez conserver le sirop dans une bouteille où vous aurez glissé une gousse de vanille pour le parfumer.

PUNCH MARTINIQUE

¼ de sirop de sucre *
¾ de rhum blanc *
1 citron vert *
1 ou 2 glaçons

Dans un verre, versez le sirop de sucre de canne puis le rhum blanc. Ajoutez 1 zeste de citron avec un peu de pulpe pour presser 3 ou 4 gouttes de jus. Remuez à l'aide d'une cuillère et mettez la glace.

PUNCH GUADELOUPE

À la Guadeloupe, le sirop de sucre de canne est le plus souvent remplacé par un sirop parfumé à l'avance avec des prunes de cythère, des pruneaux, des cerises ou des merises du pays, des prunes moubins, des quenettes. Les fruits sont cuits dans de l'eau et du sucre. Les proportions restent les mêmes.

PUNCH AU RHUM VIEUX

¼ de sirop de sucre *
¾ de rhum vieux

Versez le sirop de sucre de canne et le rhum vieux, puis remuez à la cuillère à punch. Traditionnellement, le punch au rhum vieux ne contient ni citron, ni glace, mais vous pouvez toutefois en ajouter. On le sert généralement à l'apéritif du soir.

PUNCH COCO
1ᴱᴿᴱ RECETTE

1 noix de coco *
1 verre de rhum blanc *
1 cuillerée à soupe de sucre *
½ citron vert * 1 morceau de
vanille fendue en 2 ou
1 cuillerée à café d'essence
de vanille

Râpez le coco et mélangez-le au rhum.
Passez la préparation et pressez le coco râpé
dans un linge pour en extraire tout le lait et
le rhum. Ajoutez au liquide obtenu le sucre,
le zeste du citron et la vanille. Mélangez bien
ou passez au mixeur pour obtenir un liquide
mousseux. Servez avec de la glace pilée.
Si vous disposez d'une centrifugeuse, vous
pouvez l'utiliser pour extraire le lait de coco
que vous mélangerez au rhum blanc.

2ᵉᵐᵉ RECETTE

1 noix de coco * lait concentré
sucré * rhum blanc *
½ citron vert * ½ gousse
de vanille fendue ou 1 cuillerée
à café d'essence de vanille

Récupérez le lait de la noix de coco à la centrifugeuse ou en pressant fortement le coco
râpé dans un linge. Ajoutez la même quantité
de lait concentré sucré et 3 fois cette mesure de
rhum blanc. Incorporez le zeste de ½ citron et
un peu de vanille. Servez avec des glaçons.
Vous pouvez trouver d'excellents « punchs au
coco » dans le commerce.

PUNCH AU LAIT
OU BAVAROISE

1 litre de lait * 1 morceau
d'écorce de cannelle *
3 pincées de noix de muscade
râpée * 1 citron vert * ½ gousse
de vanille ou 1 cuillerée à café
d'essence de vanille * 1 verre
de rhum blanc ou de genièvre
hollandais

Faites bouillir le lait avec la cannelle, la muscade,
le zeste du citron vert et la vanille pendant
quelques secondes. Ajoutez le rhum ou le
genièvre hollandais et servez chaud ou glacé
en faisant mousser le mélange avec un bâton
lélé ou au mixeur. La bavaroise chaude est
appréciée après une journée humide en saison
des pluies.

RHUM SOUR

1 mesure de sirop de sucre
de canne * 2 mesures de rhum
(²/₃ de rhum blanc,
¹/₃ de rhum vieux) * 1 mesure
de jus de citron vert * 1 pincée
de muscade râpée * 4 gouttes
de bitter angostura pour 1 verre *
6 mesures de glace pilée

Dans un grand verre, versez le sirop de sucre,
le rhum vieux et le rhum blanc, puis le jus de
citron. Mélangez avec le bitter angostura et la
muscade. Remplissez de glace et dégustez.

DAÏQUIRI
1ᴱᴿᴱ RECETTE

3 mesures ou 3 verres
de rhum blanc * 1 mesure
de jus de citron vert * 1 mesure
de sucre de canne cristallisé
ou de sirop de sucre *
3 mesures de glace pilée

Mélangez énergiquement au shaker le rhum,
le jus de citron, le sirop de sucre et la glace
finement pilée. Givrez les verres après les
avoir citronnés et tournés dans le sucre en
poudre.

FROZEN DAÏQUIRI
2ᴱᴹᴱ RECETTE

3 mesures de rhum *
1 mesure de sirop de sucre
de canne * 1 mesure de jus
de citron vert * cerises au sirop *
2 bacs à glaçons

Versez le rhum, le sirop de sucre, le jus de
citron, la glace dans un mixeur que vous lais-
serez tourner jusqu'à ce que la glace soit réduite
en fines paillettes. Servez immédiatement dans
des verres ballon que vous aurez grivés avec du
citron et du sucre.

DAÏQUIRI BANANE

2 bananes mûres à point *
¹/₅ de jus de citron vert *
¹/₅ de sirop de sucre de canne *
³/₅ de rhum blanc *
5 à 8 glaçons

Passez au mixer tous les ingrédients
jusqu'à ce que la banane soit réduite en purée et les glaçons en fines paillettes. Servez
immédiatement.

PLANTEUR

25 cl de jus de goyave *
25 cl de jus d'orange *
25 cl de jus de pamplemousse
ou d'ananas * 25 cl partagé
en ¾ de rhum vieux,
⅛ de sirop de sucre,
⅛ de sirop de grenadine *
1 pincée de muscade râpée *
quelques gouttes de bitter
angostura * orange en tranches
(facultatif) * ananas * cerises
au sirop

Mélangez les jus de fruits frais ou en conserve. Ajoutez le rhum et les sirops puis la muscade et le bitter angostura. Servez glacé avec 1 ou 2 pailles dans de grands verres d'une tranche d'orange, d'un morceau d'ananas et contenant 1 ou 2 cerises au sirop.

VERMOUTH « GOMMÉ GLACÉ »

1 mesure de sirop de canne *
4 à 5 mesures de vermouth
blanc sec * 1 ou 2 glaçons

Versez dans un grand verre le sirop puis le vermouth. Mélangez et servez avec 2 glaçons. « Ti-vermouth ka baï mal tête », un petit vermouth donne mal à la tête… Alors servez-le largement ! Le vermouth « gommé glacé » se prend généralement avant midi. Après, on passe au punch, au planteur ou au daïquiri, si on peut !

PIÑA COLADA

Dans un grand verre, versez sur 2 glaçons 1 mesure de rhum blanc ou de Tequila, 1 mesure de punch coco et 2 mesures de jus d'ananas. Décorez avec une cerise au marasquin et un morceau d'ananas.

DIGESTIFS

SHRuBB

5 peaux de mandarine * 75 cl de rhum * 1 gousse de vanille * 25 cl de sirop de sucre ou 7 cuillerées à soupe de sucre de canne cristallisé

Préparez la peau des mandarines en grattant tout le blanc pour ne garder que le zeste. Faites macérer les peaux dans une bouteille avec le rhum, 1 gousse de vanille et laissez–la 3 jours au soleil minimum. Passez la préparation et sucrez–la. Le shrubb se conserve dans des bouteilles bouchées et se sert en digestif.

ABSINTHE AMÈRE

1 bouteille de rhum blanc * 5 ou 6 branches d'absinthe

Faites macérer les branches d'absinthe dans le rhum et exposez la bouteille 3 jours au soleil. Passez dans un entonnoir avec une étamine. Vous obtenez un digestif amer.

LIQUEUR DE COCO

3 noix de coco * 50 cl de rhum blanc * 25 cl de sirop de sucre de canne * 1 cuillerée à soupe d'essence de vanille

Râpez les noix de coco, versez le rhum blanc dessus, pressez dans un linge pour bien extraire le suc. Ajoutez le sirop de sucre et l'essence de vanille au liquide obtenu. Laissez 2 jours au soleil avant de déguster.

BOISSONS CHAUDES

CAFÉ

Le café produit aux Antilles est très peu grillé, de là son goût un peu vert. On le sert généralement fort, sucré et chaud. Assez fort pour tacher à jamais la nappe sur laquelle tombe une goutte, assez sucré pour que les abeilles viennent butiner au fond de la tasse vide, assez chaud pour que le poil d'un chien sur lequel il serait renversé ne repousse pas !

Le café se boit le matin au réveil bien avant le petit déjeuner, après un bon déjeuner, rarement le soir où on lui préfère une infusion.

Quelques cuillerées de lait de coco dans un café très fort feront un original café au lait.

INFUSIONS

Les infusions sont les bienvenues après le dîner. Elles favorisent la digestion et préparent au sommeil. On les appelle « thé » en créole. Les plus connues sont les thés de basilic, de citronnelle à longues feuilles ou à petites feuilles, de menthe glaciale, de zeste de citron vert, dit « thé la peau citron ». Comptez le zeste d'un citron vert entier pour 4 à 6 tasses. Plongez quelques branches de l'infusion choisie dans l'eau bouillante et laissez frémir une dizaine de secondes avant de couvrir. Laissez infuser 10 minutes. Servez bien chaud et sucré.

JUS DE FRUITS

JUS D'ANANAS

1 ananas * ¹/₃ d'eau pour
²/₃ de jus obtenu * 5 cuillerées
à soupe de sucre en poudre
ou 1 verre à eau de sirop

Épluchez l'ananas, coupez–le en morceaux et passez–le au moulin à légumes ou au mixeur. Ajoutez l'eau et le sucre en poudre ou le sirop selon votre goût. Passez le tout au chinois.

JUS DE COROSSOL

1 corossol bien mûr * même
quantité d'eau que le jus
obtenu * sucre (facultatif) *
1 citron vert * ½ gousse
de vanille ou 1 cuillerée à café
d'essence de vanille

Enlevez la peau et les pépins du corossol et pressez la chair au moulin à légumes ou au mixeur. Filtrez à la passoire, ajoutez l'eau et sucrez–le. Le zeste râpé du citron vert et la vanille renforcent la saveur du corossol.

JUS DE GOYAVES

6 à 8 goyaves rose bien mûres *
eau pour obtenir 1 litre de jus *
3 cuillerées à soupe de sucre
en poudre

Passez les goyaves à la moulinette ou au mixeur en les arrosant d'eau chaude. Versez à travers une passoire fine et sucrez à votre goût.

JUS DE TAMARINS

2 grosses poignées
de tamarins * 5 cuillerées
à soupe de sucre en poudre *
1 litre d'eau

Écossez les tamarins et mettez la pulpe et les pépins dans 1 litre d'eau. Faites bouillir 5 à 10 minutes. Enlevez les pépins, passez la pulpe à la moulinette et filtrez le jus à la passoire fine. Sucrez à votre goût et servez glacé.

JUS DE MANDARINES

7 mandarines * même quantité
d'eau que de jus obtenu *
3 cuillerées à soupe de sucre
en poudre

Coupez les mandarines en deux. Pressez-les, ajoutez l'eau et sucrez à volonté.

COCKTAIL DE JUS DE FRUITS

Les jus de goyaves, d'ananas, de tamarins, d'oranges, de mandarines, de pamplemousses peuvent être mélangés.

Les meilleurs cocktails sont :
– orange et pamplemousse à quantités égales ;
– ananas et goyave à quantités égales ou avec l'ananas dominant ;
– tamarin et goyave à quantités égales ;
– $1/3$ de jus d'ananas, $1/3$ de jus de goyave, $1/3$ de jus de maracudja,
1 trait de grenadine et éventuellement un peu de jus de mangue.

Astuce : quelques gouttes de bitter angostura améliorent les mélanges de jus.

JUS DE CITRON VERT

1 citron vert * 1 verre d'eau * 2 cuillerées à café de sucre en poudre

Pressez le citron. Ajoutez l'eau et le sucre.

JUS DE MARACUDJAS

5 maracudjas * 1 litre d'eau * 5 cuillerées à soupe de sucre en poudre

Coupez les fruits en deux. Prélevez la pulpe et les pépins à l'aide d'une cuillère et mettez-les dans un récipient. Versez 1 litre d'eau en écrasant les pépins et la pulpe au fond du récipient. Passez le tout au chinois, jetez les pépins et les filaments et sucrez le jus obtenu selon votre goût. Consommez bien frais.

JUS DE PRUNES DE CYTHÈRE

5 ou 6 prunes de cythère très fermes * 5 cuillerées à soupe de sucre en poudre * 1 litre d'eau

Râpez finement les prunes de cythère avec leur peau. Versez la pulpe râpée dans 1 litre d'eau. Mélangez bien avec le sucre et filtrez à la passoire fine.
Vous pouvez, de la même manière, faire du jus de mangues vertes. Il faudra alors prendre des fruits pas trop mûrs.

TABLE DES MATIÈRES

ÉQUIVALENCES

MESURES LIQUIDES

SYSTÈME MÉTRIQUE	SYSTÈME AMÉRICAIN	AUTRE NOM
5 ml	1 cuillère à thé (cuillère à café francaise)	
15 ml	1 cuillère à table (cuillère à soupe francaise)	
35 ml	1/8 cup (tasse française)	1 oz (ou once)
65 ml	1/4 cup ou 1/4 grand verre	2 oz
125 ml	1/2 cup ou 1/2 grand verre	4 oz
250 ml	1 cup ou 1 grand verre	8 oz
500 ml	2 cups ou 1 pinte	
1 litre	4 cups ou 2 pintes	

MESURES SOLIDES

SYSTÈME MÉTRIQUE	SYSTÈME AMÉRICAIN	AUTRE NOM
30 g	1 oz	
55 g	1/8 lbs	2 oz
115 g	1/4 lbs	4 oz
170 g	3/8 lbs	6 oz
225 g	1/2 lbs	8 oz
454 g	1 livre	16 oz

CHALEUR DU FOUR

CHALEUR	°CELSIUS	THERMOSTAT	°FAHRENHEIT
Très doux	70 °C	Th. 2 – 3	150 °F
Doux	100 °C	Th. 3 – 4	200 °F
	120 °C	Th. 4	250 °F
Moyen	150 °C	Th. 5	300 °F
	180 °C	Th. 6	350 °F
Chaud	200 °C	Th. 6 – 7	400 °F
	230 °C	Th. 7 – 8	450 °F
Très chaud	260 °C	Th. 8 – 9	500 °F

Mango une marque de Fleurus Éditions
www.fleuruseditions.com

Crédits Photo : couverture : © photos Nicolas Leser, Brono Marielle, Roulier/Turiot/ Sucré Salé ; p. 2 et 3 :
© photo David Neil Madden / Getty Images ; p. 5 : © photo Dorling Kindersley / Getty Images ; p. 5, 12,140
et 147 : Jean Bono © photo/ Sucré   5, 12, 14, 147 et 151 : © photo Becky Lawton / Sucré Salé ;
p. 5 et 147 : © photo Patricia Ketten   147 : © photo Nicolas Leser / Sucré Salé ; p. 5 et
147 : © photo Jorg Ramen / Sucré S   ty Images ; p. 13 et 152 : © photo
Pierre Hussenot / Sucré Salé ; p.   lé ; p. 15 : © photo Mary Van de
Ven / Getty Images ; p. 15 : © pl   o Mary Diane Macdonald / Getty
Images ; p. 16 : © photo Tom Gr   -Reine Mattera / Getty Images ;
p. 20 et 110 : © photo Buena Vi   photo Evan Sklar / Getty Images ;
p. 30 : © photo Jake Rajs/ Gett   photo Nicolas Leser / Sucré Salé ;
p. 40 : © photo Jamie Marshall   © photo Jean–Blaise Hall / Sucré
Salé ; p. 50 : © photo Andre Se   ta Delimont / Getty Images ; p. 50 :
© photo Andre Seale / Getty Ima   ty Images ; p. 52 : © photo Stocktrek /
Getty Images ; p. 52 et 64 : © ph   : © photo Travel Ink / Getty Images ;
p. 64 : © photo Nicolas Thibau   o Yves Bagros / Sucré Salé ; p. 71 :
© photo Robin MacDougall / C   nita Delimont / Getty Images ; p. 83 :
© photo Cimbal / StockFood /   r/Turiot / Sucré Salé ; p. 92 : © photo
Michael Melford / Getty Imag   Images ; p. 102 : © photo Will & Deni
McIntyre / Getty Images ; p. 1   . 107 : © photo Coipeau / StockFood /
Studio X ; p. 109 : © photo Bruno M   photo Simon Rawles / Getty Images ;
p. 118 : © photo Imagemore Co., Ltd. / Getty Ima   hoto Jeremy Horner / Getty Images ;
p. 124 : © photo Pierre–Louis VIEL / Sucré Salé ; p. 129 : © ph   Norton / StockFood / Studio X ; p. 135 :
© photo Food&Drink / Sucré Salé ; p. 139 : © photo Denis Amon / Sucré Salé ; p. 144 : © photo DreamPictures /
Getty Images ; p. 148 : © photo Charles Briscoe–Knight / Getty Images ; p. 151 : © photo Jean–Christophe
Riou / Sucré Salé ; p. 151 : © photo Nicolas Leser / Sucré Salé ; p. 152 : © photo Peter Hendrie / Getty
Images ; p. 157 : © photo Serge Manceau / Sucré Salé ; p. 158 : © photo PhotoLink / Getty mages ; p. 161 et
165 : © photo Bob Norris / Sucré Salé ; p. 171 : © photo Bruno Marielle / Sucré Salé

Édition : Barbara Sabatier et Adèle Vay
Direction artistique : Julie Mathieu
Fabrication : Thierry Dubus et Sabine Marioni

N° d'édition : M12018
ISBN : 9782317002809
Code MDS :73885
Photogravure : Point 4
Achevé d'imprimer en décembre 2011 par Graficas Estella – Espagne
Dépôt légal : janvier 2012
Édition N°1